KB077136

국민대학교 문화교차연구소
성리학의 감정과학 연구총서 2

주돈이 통서의 감정과학

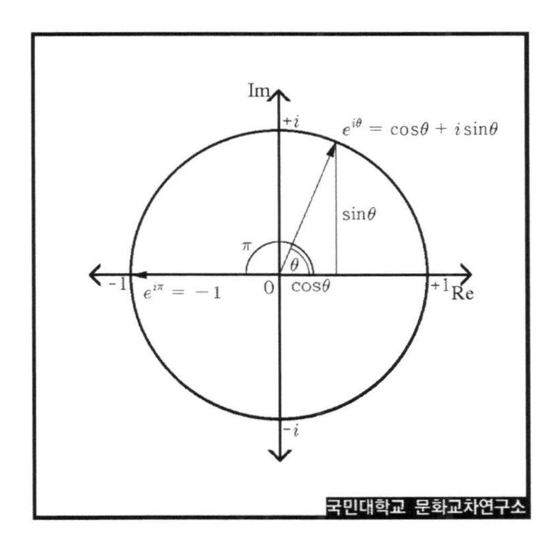

국민대학교 문화교차연구소
성리학의 감정과학 연구총서 2

주돈이 통서의 감정과학

발 행 | 2024년 02월 23일
저 자 | 성동권
펴낸이 | 한건희
펴낸곳 | 주식회사 부크크
출판사등록 | 2014.07.15.(제2014-16호)
주 소 | 서울특별시 금천구 가산디지털1로 119 SK트윈타워 A동 305호
전 화 | 1670-8316
이메일 | info@bookk.co.kr

ISBN | 979-11-410-7354-1

www.bookk.co.kr

국민대학교 문화교차연구소
성리학의 감정과학 연구총서 2

주돈이 통서의 감정과학

성동권

국민대학교 문화교차연구소
성리학의 감정과학 연구총서 2

「 주돈이 통서의 감정과학 」

목 차

제1부 선험(性) · 분석(理)
: 사람의 성스러움

제2부 후험 (情정) · 분석 (理리)
: 통서의 감정과학

제3부 후험 (情 정) · 종합 (氣 기)

: 감정과학의 행복

서 문

서문 1: 성리학의 감정과학 출판 소개

국민대학교 문화교차연구소의 '연구총서 시리즈' 《성리학의 감정과학》은 중국 남송(南宋) 시대의 철학자 주자(朱子, 1130~1200)에 의해서 학문론으로 정립된 '성리학'(性理學)을 '감정과학'(Science of Feelings)으로 연구합니다. '감정과학'은 감정의 현상을 선악(善惡)으로 해석하고, 이후 '악'(惡)으로 지목된 감정을 조절하거나 제어함으로써 이상적인 '선'(善)의 경지로 도달하게 하는 '목적론적 윤리학'이 아닙니다. 무한한 방식으로 무한한 감정의 현상에 나아가 그 각각에 고유한 본성의 필연성을 인식함으로써 모든 감정이 영원의 필연성 안에서 순수지선으로 존재하고 있다는 사실을 확인하는 학문론이 '감정과학'입니다.

'성리학'의 본질을 '감정과학'으로 규명하는 것은 현대적 '재해석'이 아닙니다. 주자의 성리학을 충실히 계승함으로써 그 본질을 명확하게 밝힌 조선 시대 성리학자 퇴계 이황(退溪 李滉, 1501~1570)의 작품인 『성학십도』(聖學十圖)에 근거하면, 성리학은 감정의 본성을 이해함으로써 감정의 순수지선을 이해하는 '감정과학'입니다. 퇴계 선생님은 『성학십도』(聖學十圖)의 「제6도 심통성정도(心統性情圖)」의 '중도'(中圖: 두 번째 그림)와 '하도'(下圖: 세 번째 그림)에서 성리학(性理學)의 핵심을 다음과 같이 요약했습니다.

其中圖者。就氣稟中指出本然之性不雜乎氣稟而爲言。子思所謂天命之性。孟子所謂性善之性。程子所謂卽理之性。張子所謂天地之性。是也。其言性旣如此。故其發而爲情。亦皆指其善者而言。如子思所謂中節之情。孟子所謂四端之情。程子所謂何得以不善名之之情。朱子所謂從性中流出。元無不善之情。是也。其下圖者。以理與氣合而言之。孔子所謂相近之性。程子所謂性卽氣氣卽性之性。張子所謂氣質之性。朱子所謂雖在氣中。氣自氣性自性。不相夾雜之性。是也。其言性旣如此。故其發而爲情。亦以理氣之相須或相害處言。如四端之情。理發而氣隨之。自純善無惡。必理發未遂。而掩於氣。然後流爲不善。七者之情。氣發而理乘之。亦無有不善。若氣發不中。而滅其理。則放而爲惡也。夫如是。故程夫子之言曰。論性不論氣不備。論氣不論性不明。二之則不是。然則孟子，子思所以只指理言者。非不備也。以其幷氣而言。則無以見性之本善故爾。此中圖之意也。

위에 제시된 원문의 뜻을 번역하면 다음과 같습니다. (원문에 대한 직역이 아니라 원문이 품고 있는 뜻을 번역하면 아래와 같습니다.)

우리가 우리 자신의 몸에 나아가 몸 그 자체의 본성인 '성리'(性理: 子思所謂天命之性。孟子所謂性善之性。程子所謂卽理之性。張子所謂天地之性。)를 명백하게 인식하면, 이로부터 우리는 몸이 느끼는 감정 그 자체의 본성인 '정리'(情理: 子思所謂中節之情。孟子所謂四端之情。程子所謂何得以不善名之之情。朱子所謂從性中流出。元無不善之情。)를 영원의 필연성으로 인식하게 됩니다.

이 인식 덕분에 우리는 감정의 무한 양태인 정기(情氣)를 감각적 현상에 의존하여 그것의 선악(善惡)과 시비(是非)를 판단하는 인식의 오류에 빠지지 않게 됩니다. 감정의 무한 양태인 정기(情氣)는 본래부터 자기 안에 정리(情理)를 품고 있다는 사실이 성리(性理)에 의해서 진리의 필연성으로 분명합니다. "如四端之情。理發而氣隨之。自純善無惡。"의 뜻입니다.

그러므로 우리가 이 사실을 이해하고 믿는 한에서 우리는 정기(情氣)에 나아가 정리(情理)를 명명백백하게 인식해야 합니다. 그 결과 우리는 무한한 방식으로 무한하게 존재하는 정기(情氣)가 단 하나의 예외 없이 본래부터 최고의 완전성 안에서 순수지선으로 존재한다는 사실을 명석하고 판명하게 이해하게 됩니다. "然則孟子, 子思所以只指理言者。非不備也。以其幷氣而言。則無以見性之本善故爾。此中圖之意也。"의 뜻입니다.

합리기(合理氣)의 성(性: 몸)에 나아가 '성리'(性理: 몸 그 자체의 본성)를 명확히 인식하는 것이 매우 중요합니다. 이 인식에 기초하여 몸이 느끼는 감정으로 살아간다는 사실을 간단한 공리(公理)로 요약한 '성발위정'(性發爲情)에 근거하여 분석하면, 정(情)도 당연히 합리기(合理氣)로 존재한다는 사실이 연역됩니다. 감정에도 리(理)가 존재한다는 사실이 분명하므로 합리기(合理氣)의 정(情)에 나아가 정리(情理)를 명확하게 인식할 수 있는 기초가 확립됩니다. 이 기초 위에서 무한한 감정을 배울 때 우리는 모든 감정이 본래부터 순수지선으로 존재하고 있다는 사실을 이해할 수 있습니다. 이 이해로부터 우리는 감정을 느끼며 살아가는 모든 것이 본래부터 순수지선의 축복 속에 존재하고 있다는 사실을 확인할 수 있습니다.

우리는 매순간 감정으로 존재하며 감정으로 살아갑니다. 이 자명한 사실에 근거하여 우리는 자신의 행복을 위해서 반드시 감정 그 자체의 진실을 묻고 배워야 합니다. 감정을 이해하는 것이 곧 우리 자신을 이해하는 것입니다. 더 나아가 세상 모든 사람과 자연의 모든 것을 이해하는 방법이 그들 각각에 고유한 감정을 이해하는 것입니다. 퇴계가 주자의 성리학 덕분에 깨닫게 된 진리입니다. 퇴계 선생님에 의하면 '성리학'은 필연적으로 '감정과학'입니다. 이 사실을 증명하기 위하여 선생님은 「제6도 심통성정도」에서 선진(先秦) 시대의 '공맹'(孔孟)으로부터 남송(南宋) 시대의 주자(朱子)에 이르는 '유교-성리학'의 역사를 감정과학의 역사로 다시 정리합니다.

퇴계 선생님의 주자 성리학에 대한 이해는 다음과 같이 요약됩니다.

'성리'(性理)를 향한 배움(學)은 필연적으로 정리(情理)를 향한 배움(學)으로 전개됩니다.

이러한 진리를 가르쳐주기 위하여 퇴계 선생님은 「제6도 심통성정도」에서 '중도'와 '하도'를 그렸으며 그에 대한 설명을 간단명료하게 제시했습니다. '성리학'(性理學)의 본질을 '정리학'(情理學)으로 규명하는 퇴계 선생님의 '성학'(聖學)을 국민대학교 문화교차연구소는 '감정과학'으로 정의합니다. 국민대학교 '문화교차학과'와 이 학문을 전문적으로 탐구하는 기관인 '문화교차연구소'는 퇴계 선생님의 성학(聖學)에 기초합니다.

그러나 매우 안타깝게도 퇴계 선생님의 『성학십도』 이후 지금에 이르기까지 선생님이 제시한 성학(聖學)의 본뜻이 무엇인지 분명하게 연구되지 않았을 뿐만 아니라 성리학(性理學)의 본질이 감정과학으로서 '정리학'(情理學)이라는 사실 또한 분명하게 정리되지 않았습니다. 이에 국민대학교 문화교차연구소는 성리학을 감정과학으로 증명하는 총서 시리즈 《성리학의 감정과학》을 세상에 내놓습니다. 문화교차연구소의 새로운 총서 시리즈 《성리학의 감정과학》은 이 목적을 위해 구체적으로 『성리대전』에 수록된 작품들을 선별하여 감정과학으로 증명합니다.

『성리대전』은 중국의 송명 시대의 성리학(性理學)을 집대성한 책입니다. '성리'에 관련된 모든 저술들을 총망라한 것이 『성리대전』이므로 성리학의 본질을 '정리학'(情理學) 또는 '감정과학'(Science of Feelings)으로 규명하는 방법은 이 책에 수록된 저서들을 '감정과학의 논리'로 분석하는 것입니다. 이에 국민대학교 문화교차연구소는 성리학의 기초를 확립한 중국의 북송 시대 철학자 '주돈이'(周敦頤, 1017~1073)의 작품인 『태극도설』(太極圖說)에 대한 감정과학의 분석에 이어서 총서 시리즈 두 번째인 주돈이의 『통서』(通書)에 대한 감정과학의 분석을 세상에 내 놓습니다. '감정과학의 논리'는 이어지는 「서문 2: 감정과학의 '성리학 장르' 분석」에서 논의합니다.

국민대학교 문화교차연구소장

성동권 올림.

서문 2: 감정과학의 '성리학 장르' 분석

성리학(性理學)

성리학(性理學)은 말 그대로 '성리'(性理)를 배우는 '학문'(學)입니다. 여기에서 다음과 같은 질문이 성립합니다.

'성리'(性理)는 무엇입니까?
'성'(性)은 무엇입니까? '리'(理)는 무엇입니까?

이 질문들에 대한 '감정과학'의 대답은 매우 간단합니다.

> 성리학(性理學)은 '몸의 생김'(性)에 고유한 '본성의 필연성'(理)을 배운다(學). 몸의 영원한 진실(性理)를 배우는 학문이 성리학이다.

우리는 '몸'으로 살아갑니다. 지금 우리 자신의 몸이 존재하지 않는다면, 그 어떤 것으로도 우리 자신의 존재를 확인할 수 없습니다. 이것은 우리 자신만의 진실이 아니라 자연 전체의 진실입니다. 자연의 모든 것은 자신의 몸으로 살아가며, 그렇게 존재하는 모든 몸은 자신과 무한히 다른 몸과 함께 무한한 방식으로 무한하게 교차하며 살아갑니다. 그렇기 때문에 무엇보다도 '몸'이 진실로 소중합니다. 몸을 절대로 함부로 해서는 안 됩니다. 성리학은 이 사실을 '경신'(敬

身)으로 요약합니다. 자기 스스로 자기 몸을 존경하고 고마워하는 것이 학문의 시작이자 끝입니다.

학문의 핵심은 지금 우리 자신의 몸입니다. 그런데 몸이 생겨나지 않으면 몸으로 살아간다는 것은 '절대적'으로 성립할 수 없습니다. 몸이 생겨나야 몸으로 살아갈 수 있습니다. 이로부터 '생김'이 '살아가기'에 앞선다는 사실은 자명합니다. 이 자명한 진리에 근거하여 우리는 몸에 대한 이해를 '생김'과 '놀이'로 나누어 이해할 수 있습니다. '놀이'는 생겨난 몸으로 살아가는 우리 자신의 이야기입니다. 이 이야기를 '경험' 또는 '후험'(後驗)이라 합니다. 한편, 우리 몸의 '생김'은 우리 자신의 몸으로 경험하는 '놀이'에 앞선 것이므로 이와 관련된 이야기를 '선험'(先驗)이라 합니다. '경험(驗)에 앞서서(先)'를 뜻합니다. 따라서 우리는 다음과 같이 개념을 정의할 수 있습니다.

① 몸-생김: 선험(先驗)
② 몸-놀이: 후험(後驗)

선험(先驗) X 후험(後驗)

생겨난 몸으로 살아가는 우리 자신의 이야기를 '몸-놀이' 또는 '후험'(後驗)으로 정의할 때, 그것의 진실은 무엇일까요? 이 물음에 대한 답은 당연히 몸으로 살아가는 우리의 삶에서 찾아야 합니다. 우리의 삶을 떠나서 답을 구할 수 있다는 생각은 터무니없는 것입니다. 왜냐하면 질문의 요지는 '후험'으로서 지금 우리 자신의 몸-놀이가 품고 있는 실상이 무엇인지 묻는 것이기 때문입니다. 이 사실에 근거하여 우리 스스로 생각해 보면, 몸으로 살아간다는 것은 실질적으로 몸의 무한 변화를 경험하는 것입니다. 우리의 몸은 단 한 순간도 쉬지 않고 자기 스스로 무한히 변화하며, 동시에 무한히 변화하는 다른 몸과의 교차를 통해서도 무한하게 변화합니다.

다음으로 몸의 무한 변화에 나아가 그 모든 변화의 '순간'에 대해서 생각해 보면, 그것은 사실상 '감정'입니다. 예를 들어서 우리는 어느 순간 '배고픔'을 느끼기도 하며, 또 다른 어느 순간 '피곤함'을 느끼기도 합니다. 우리는 몸의 순간 변화를 '배고픔' 또는 '피곤함'이라는 감정으로 확인합니다. 친구와의 만남도 마찬가지입니다. 길을 걷다가 갑자기 친구를 만나면 우리 몸은 '기쁨'이라는 감정으로 순간 변화하며, 우리의 마음은 그 감정을 자각합니다. 이처럼 몸으로 살아가는 우리의 일상인 몸-놀이에 대해서 우리 스스로 생각해 보면, 몸-놀이의 실상은 몸의 무한 변화인 '감정'이라는 것을 알 수 있습니다. 따라서 몸-놀이의 후험(後驗)을 다음과 같이 보다 구체적으로 정의할 수 있습니다.

② 몸-놀이: 후험(後驗) = 감정(情)

위의 정의에 입각하여 몸-생김의 '선험'(先驗)에 대해서 생각해 봅시다. 몸-놀이에 앞서는 몸-생김의 진실은 무엇일까요? 이 질문에 대한 답을 우리 자신의 몸 밖에서 구할 수 있다고 생각한다면, 이 또한 터무니없는 착각입니다. 왜냐하면 지금 우리의 질문은 우리 자신의 몸-생김에 대한 것이기 때문입니다. 이 대목에서 우리 스스로 생각해야 합니다. 우리 자신의 몸은 어떻게 생겨난 것일까요? 이 물음에 대한 답은 어린이도 할 수 있습니다. 오히려 어린이가 더 쉽게 답할 수 있는 문제입니다. 무엇일까요? 정답은 '엄마아빠의 사랑'(정확히 말해서 'sex')입니다. 엄마아빠의 '사랑'이 아니면 '지금' 우리의 몸은 절대적으로 생겨날 수 없습니다.

영원의 필연성으로 지금 우리의 몸은 '엄마아빠의 사랑'으로 생겨납니다. 여기에는 그 어떤 우연성이나 가능성이 없습니다. 절대적인 영원의 필연성 안에서 엄마아빠의 사랑이 지금 우리의 몸을 생겨나게 했습니다. 그렇기 때문에 우리가 몸-생김의 실상을 지금 우리 자신의 몸으로 이해하는 한에서 몸-생김의 진실은 '엄마아빠의 사랑'입니다. 우리의 몸은 현상적으로 얼마든지 엄마의 몸 또는 아빠의 몸으로 존재하지 않을 수 있습니다. 세상에 부모가 되지 못한 사람은 여러 이유로 많습니다. 그러나 우리의 몸은 절대적으로 엄마아빠의 사랑으로 생겨납니다. 이 사랑(sex), 즉 '부모의 사랑' 없이 생겨난 자식의 몸은 절대적으로 존재하지 않습니다.

이상의 논의에 기초하여 몸-생김의 선험(先驗)을 다음과 같이 보다 구체적으로 정의할 수 있습니다. 앞에서 정의한 몸-놀이의 후험(後驗)과 함께 보겠습니다.

① 몸-생김: 선험(先驗) = 엄마아빠의 사랑(sex)

② 몸-놀이: 후험(後驗) = 감정(情)

몸-생김의 선험(先驗)에 고유한 진실로서 '엄마아빠의 사랑(sex)'을 성리학(性理學)은 '성'(性)으로 정의합니다. 왜냐하면 이 사랑이 지금 내 몸의 존재를 결정하는 단 하나의 영원한 필연성이기 때문입니다. 이 정의를 두고 현대 성리학을 연구하는 학자들이 수많은 반론을 제기할 수 있지만, 이 문제는 쉽게 해결됩니다. 다음에 제시하는 성리학(性理學)의 기본 공리(公理)로 논의를 시작하겠습니다.

성발위**정**(**性**發爲**情**)

정(情)은 성(性)과 절대적으로 떨어질 수 없습니다. 그리고 이 둘 사이에 있는 '발위'(發爲)에 근거하면 당연히 성(性)은 정(情)에 앞섭니다. 정(情)에 대한 정의는 앞에서 충분히 증명하였듯이 몸-놀이의 '후험'(後驗)입니다. 이로부터 성(性)에 대한 정의는 '성발위정'(性發爲情)에 근거하여 몸-놀이의 '후험'(後驗)에 앞서는 '선험'(先驗)으로서 '몸-생김'이라는 사실이 명백하게 연역됩니다. 몸이 생겨나지 않으면 몸으로 하는 놀이는 상상할 수 없기 때문에 이 연역은 자명한 진리입니다. 그런데 몸-생김의 진실은 이미 논한 바와 같이 '엄마아빠의 사랑(sex)'입니다. 따라서 성(性)을 엄마아빠의 사랑으로 이해하는 것은 기하학적 질서의 필연성에 의해서 진리의 필연성 그 자체입니다. 따라서 '성정'(性情)에 대한 다음과 같은 정의가 성립됩니다.

① 몸-생김: 선험(先驗) = 엄마아빠의 사랑(sex) = **성(性)**

② 몸-놀이: 후험(後驗) = **정(情)**

위의 정의를 다음과 같이 요약할 수 있습니다.

엄마아빠의 사랑(sex)에 의해서 생겨난 나의 몸(性)은 살아가면서 무한한 방식으로 변화하며, 그 무한 변화의 순간순간인 감정(情)의 무한으로 존재한다. 몸의 순간 변화를 우리가 감정으로 정의하는 한에서.

그런데 우리의 논의가 이 지점에 이르면, 뜻밖에 불같이 화를 내는 분들을 만나게 됩니다. 여기에는 크게 두 가지 곡절이 있습니다.

① 우리가 어린 시절 부모로부터 받은 정서적 또는 신체적 학대

: 부모로부터 학대를 당한 자식들은 엄마아빠의 사랑에 대해서 극도의 거부감을 느끼게 됩니다.

② 출생의 비밀

: 몸-생김의 본질로 존재하는 엄마아빠의 사랑을 둘러싼 이야기에는 수많은 소문과 사건이 있습니다. 가장 대표적으로 '금수저' '흙수저' 같은 '수저 계급론', 또는 차마 말할 수 없는 강간이나 고아 등과 같은 비극 한 가운데 엄마아빠의 이야기가 있습니다.

크게 위와 같은 두 가지 슬픔 속에 있는 자식들은 일반적으로 엄마아빠의 사랑에 대해서 극도의 거부감을 느끼게 됩니다. 이 주제는 매우 민감하고 그만큼 다루기 어려운 주제이지만, 그럼에도 불구하고 우리는 반드시 이 주제를 배워서 이해해야 합니다. 왜냐하면 몸-생김은 우리 자신의 몸을 이해하는 기초이며 동시에 행복의 기초이기 때문입니다. 이미 논의한 바와 같이 몸-놀이에 앞서는 것이 몸-생김입니다. 여기에는 엄마아빠의 사랑이 본질로 존재합니다. 이 사랑에 대한 우리의 이해가 최고의 완전성 내지는 순수지선의 아름다움이 아니라면 그 즉시 우리 몸의 생김은 불완전한 것이 됩니다. 이미 시작이 불완전이라면 몸-놀이 또한 불완전한 것입니다.

이 지점에 이르면, 몸으로 생겨나서 몸으로 살아가는 지금 우리 자신의 행복을 위한 가장 확실한 방법은 몸-생김의 진실로 존재하는 '엄마아빠의 사랑'(sex)에 대해서 타당한 인식을 형성하는 것이라는 결론이 나옵니다. 엄밀히 말해서 이 인식은 엄마아빠를 위한 것이 아니라 지금 '나' 자신의 행복을 위한 것입니다. 다시 강조하지만, 몸으로 생겨나 몸으로 살아가는 지금 '나' 자신의 행복을 위해서 엄마아빠의 사랑(sex)을 이해하는 것입니다. 몸으로 생겨나 몸으로 살아가는 지금 '나' 자신의 행복을 떠나서 엄마아빠의 사랑에 대해서 논의하지 않습니다. 이점이 매우 중요합니다.

선험(先驗): 성(性)

우리가 이 논점의 중요성을 이해하면, 앞에서 다룬 두 가지 문제는 뜻밖에 쉽게 해결됩니다. 자식들이 부모로부터 학대를 받았다고 할 때, 이것은 엄격히 말해서 '몸-놀이'의 사건입니다. 몸으로 살아가는 자식이 부모와의 '관계'에서 겪은 자신의 경험입니다. 그런데 '엄마아빠의 사랑(sex)'에 관하여 그 자체만을 두고 보면 이것은 몸-생김을 뜻합니다. '선험'(先驗)의 성(性)입니다. 몸-놀이의 '후험'(後驗)이 아닙니다. 그렇기 때문에 자식이 부모로부터 받은 상처로 인해 자기 몸의 생김에 있는 엄마아빠의 사랑을 부정하는 것은 사실상 선험(先驗)을 후험(後驗)으로 잘못 이해하는 것입니다. 이는 '뒤'(後驗)에 있는 것을 '앞'(先驗)에 두는 모순입니다.

몸의 생김과 놀이에 대한 정의를 다시 봅시다.

① 몸-생김: 선험(先驗) = 엄마아빠의 사랑(sex) = 성(性)

② 몸-놀이: 후험(後驗) = 정(情)

지금 우리가 논의하는 것은 몸-생김의 진실로 존재하는 엄마아빠의 사랑(sex)입니다. 이 사랑이 아니라면 그 어떤 자식의 몸도 생겨날 수 없습니다. 그렇기 때문에 부모로부터 받은 상처나 학대를 경험한 자식이 그것을 근거로 이 사랑을 부정한다면, 이것은 사실상 자기 스스로 자기 존재를 부정하는 것입니다. 이는 몸-놀이의 비극이 몸-생김의 비극으로 옮겨 가는 보다 더 큰 비극입니다. 이때 어떤 학문이 우리 스스로 몸-생김에 대한 타당한 인식을 확립함으로써 우리 몸의 생김과 놀이를 최고의 완전성과 행복으로 이해할 수 있다고 주장한다면, 한번은 이 학문에 대해서 경청할 필요가 있지 않을까요? 이 학문이 지금 우리가 공부하는 **'성리학의 감정과학'**입니다.

다음으로 출생의 비밀에 대해서 생각해 봅시다. 우리 스스로 차분히 생각해 보면, 이 문제도 앞에서 다룬 오류 안에 있습니다. 지금 우리가 논의하는 것은 몸-생김의 '선험'(先驗)으로써 엄마아빠의 사랑(sex)입니다. 가장 중요한 것은 지금 '나'의 몸-생김에 관하여 '선험'으로 존재하는 '엄마아빠의 사랑'입니다. 이 논점을 분명히 하고 위에서 제시한 정의를 보다 단순하게 하면 다음과 같습니다.

① 몸-생김 = **선험(先驗)** = **성(性)**

② 몸-놀이 = **후험(後驗)** = **정(情)**

지금 '나'의 몸-생김에 대한 이야기로서 '출생의 비밀'은 선험(先驗)의 성(性)이 맞습니다. 엄마아빠의 이야기이기 때문에 그렇습니다. 그러나 이 이야기는 엄밀히 말해서 나의 '경험'에 앞서는 또 다른 '경험'입니다. 나의 몸을 생기게 한 '엄마아빠'와 관련된 경험입니다. 예를 들어서 부유한 남자와 가난한 여자가 서로 만나서 사랑한 것이 지금 내 몸의 생김에 있는 이야기일 수 있고, 극단적으로 어떤 남자로부터 강간을 당한 여자가 지금 내 몸의 생김에 있는 이야기일 수 있습니다. 결국 '출생이 비밀' 등 지금 '나'의 몸과 관련된 생김의 이야기는 선험(先驗)의 성(性)에 있는 것 같지만, 그것의 실상은 후험(後驗/ 경험)에서 나오는 이야기입니다.

그런데 우리가 논의하는 것은 후험(後驗)에 앞서는 또 다른 후험(後驗)이 아닙니다. 후험(後驗)에 앞서는 선험(先驗)입니다. 우리의 생각에 여기에 이르면, 선험(先驗)에 대한 이해와 관련하여 두 가지 논점이 생성됩니다.

① 선험(先驗)
: 후험(後驗)에 앞서는 <u>후험(後驗)으로서 선험</u>

② 선험(先驗)
: 후험(後驗)에 앞서는 <u>선험(先驗) 그 자체로서 선험</u>

위 두 가지 선험(先驗) 중에서 어느 것이 진정한 '선험'일까요? 선험(先驗)은 말 그대로 '경험에 앞선'을 뜻합니다. 이때 선험을 챙긴다면서 어떤 경험에 앞선 또 다른 어떤 경험으로 '선험'을 이해하면,

그것은 어떤 후험에 대하여 단순히 그보다 공간과 시간 상 앞서는 또 다른 '후험'(後驗)입니다. 어떤 공간과 시간 속에서 사건 'A'가 발생했고 그로 인해 또 다른 어떤 공간과 시간 속에서 사건 'B'가 발생했을 때, 사건 'A'는 사건 'B'에게 선험이 분명합니다. 그러나 사건 'A'는 여전히 경험 속에 있습니다. 이러한 맥락에서 '출생의 비밀'은 공간과 시간 상 선험(先驗)일 뿐, 그것은 본질은 또 다른 경험 또는 후험(後驗)일 뿐입니다.

선험(先驗)과 후험(後驗)을 이와 같은 방식으로 이해하면, 결국 이 둘은 공간과 시간 안에서 이해됩니다. 어떤 사건 A와 B가 발생했을 때, 이 둘 사이에 어느 것이 공간과 시간 상 앞에 있고 뒤에 있는지를 확인하면, 그것으로 '선험'과 '후험'이 결정됩니다. 그런데 우리가 이러한 방식으로 '선험'을 이해하면, 우리는 오직 출생의 비밀만으로 몸-생김을 이해할 수밖에 없습니다. 여기에서 뜻하지 않은 비극이 발생합니다. 어떤 사람은 평생을 숨기고 싶은 출생의 비밀로 살아가지만, 반대로 어떤 사람은 자신의 출생을 둘러싼 좋은 조건과 환경으로 살아갑니다. 몸-생김의 비극이 몸-놀이의 비극으로 옮겨가는 보다 더 큰 비극이 발생합니다.

이상, 몸-생김의 선험(先驗)으로 존재하는 '엄마아빠의 사랑(sex)'을 이해함에 있어서 발생하는 대표적인 오류 두 가지를 살펴보았습니다. 감정과학이 이 이해를 '오류'로 명명하는 이유는 무엇보다도 선험(先驗)에 대한 이해를 후험(後驗)으로 시도하기 때문입니다. 이는 논리적으로 모순입니다. 선험은 선험 그 자체로 이해해야 합니다. 우리는 얼마든지 공간과 시간의 한계 안에서 감각적으로 지각되는 어떤 사건에 대한 경험을 선험(先驗)으로 이해할 수 있지만, 이는 '후험'일 뿐입니다. 선험(先驗)을 선험 그 자체로 이해하는 것이 선험에 대한 참다운 이해입니다. 이 이해를 형성하는 능력이 우리에게 본래부터 있기 때문에 선험을 '후험(後驗)에 앞서는 후험(後驗)으로서 선험'으로 이해하는 것은 오류입니다.

분석(分析) X 종합(綜合)

지금 우리의 논의에서 본질적으로 중요한 것은 몸-생김의 선험(先驗)을 엄마아빠의 사랑(sex)으로 정의할 때, 이 사랑에 대한 참다운 인식이 무엇인지 탐구하는 것입니다. 엄마아빠의 사랑(sex)를 공간과 시간의 한계 안에서 감각적으로 지각할 수 있는 사건으로 접근하면, 이것은 실질적으로 자식으로 존재하는 우리의 후험(後驗)에 앞선 엄마아빠의 후험(後驗)에 불과합니다. 이 경우 우리의 선험(先驗)은 사실상 엄마아빠의 후험(後驗)입니다. 결국 앞에서 언급한 바와 같이 선험과 후험을 공간과 시간의 선후로 구분하면, 선험과 후험은 실질적으로 후험으로 수렴됩니다. 이에 따라서 후험에 앞선 선험은 갑자기 후험의 존립 기초로서 '공간과 시간'으로 드러납니다. 공간과 시간이 없으면 '엄마아빠'와 '나'의 후험이 없습니다.

이 지점에서 우리는 전혀 예상하지 못한 결론에 도달합니다. 몸-생김의 선험(先驗)으로서 엄마아빠의 사랑(sex)을 이해하려는 우리의 노력은 수포로 돌아갑니다. 몸-놀이에 앞서는 몸-생김으로서 엄마아빠의 사랑이 지금 내 몸-놀이의 후험(後驗)에 앞서는 후험(後驗)으로 간주된 이상, 이로부터 몸-생김의 선험(先驗)은 후험(後驗)의 전제 조건으로서 '공간과 시간'이라는 추상적 개념으로 제시됩니다. 왜냐하면 선험도 결국 구체적인 공간과 시간으로 감각되는 후험에 불과하기 때문입니다. 이로부터 선험은 공간과 시간이라는 추상적 개념으로 제시됩니다.

그런데 우리가 진실로 알고 싶은 것은 '엄마아빠의 사랑'입니다. 이 주제와 관련하여 뜻밖에 우리에게는 공간과 시간이라는 추상적 개념이 주어집니다. 이처럼 선험(先驗)을 후험(後驗)의 존립기초로서 추상적인 공간과 시간으로 제시하는 것이 칸트(Kant)의 '선험종합'입니다. 이에 근거하여 감정과학은 '종합'과 '선험종합'을 다음과 같이 정의합니다.

종합(綜合)

: 감각적으로 지각되는 모든 몸-놀이, 즉 후험(後驗)의 존립기초로서 '공간과 시간'.

선험(先驗)종합(綜合)

: 몸-생김의 선험(先驗)으로 존재하는 엄마아빠의 사랑(sex)을 공간과 시간의 한계 안에서 감각적으로 지각되는 엄마아빠의 몸-놀이로 이해한다.

: 엄밀히 말해서 '선험종합'은 몸-놀이의 조건으로서 '공간과 시간'이다.

그러나 몸-생김의 '선험'(先驗)인 엄마아빠의 생명과 사랑을 '종합'(綜合)'으로 이해하는 것은 다음과 같은 두 가지 이유로 모순입니다.

① 자식으로 존재하는 우리 자신의 몸에 나아가 '생김'을 생각해 보면, '공간과 시간'이 아니라 '엄마아빠'가 존재합니다. 정확히 말하자면, '엄마의 몸'과 '아빠의 몸'이 자식으로 존재하는 지금 우리 몸의 생김에 고유한 본성의 필연성입니다. 그런데 선험종합은 '공간과 시간'을 몸-생김의 선험으로 이해하고 있습니다. 따라서 이 이해는 몸-생김 그 자체의 본성이 아닙니다.

② 몸-생김은 지금 우리 자신의 몸을 향합니다. 지금 우리 '자신의 몸'에 나아가 생김(선험)을 이해하고 있습니다. 그렇기 때문에 생김(선험)에 대한 이해를 지금 우리 자신의 몸 안에서 해야 합니다. 절대적으로 우리 자신의 몸-생김을 이해함에 있어서 우리의 생각을 지금 우리 자신의 몸 밖에 두면 안 됩니다. 지금 우리 자신의 몸 안에서 몸-생김에 대해서 생각하고, 그 생각 안에서 몸-생김에 대해서 이해해야 합니다. 그런데 선험종합은 지금 우리 몸 밖에 있는 엄마아빠의 몸과 이 두 분의 사랑(sex)을 공간과 시간의 한계 안에서 감각적으로 지각되는 현상으로 이해하고 있습니다. 이 이해는 몸-생김 그 자체의 본성이 아닙니다.

위와 같이 칸트의 선험종합으로 몸-생김을 이해하는 인식의 오류를 두 가지 측면에서 접근하고 이해하는데 성공하면, 우리는 선험을 이해하기 위한 방법으로서 종합(綜合)과는 완전히 차원이 다른 방법을 발견하게 됩니다. 우리는 철두철미 공간과 시간으로 살아가는 후험(後驗)의 몸-놀이로 살아갑니다. 이렇게 후험으로 살아가는 우리가 우리 자신의 몸에 나아가 선험(先驗)에 대해서 생각해 보면, 몸-생김의 선험에 대한 우리의 생각이 **자기 안에서 자기 스스로 자명하게** 형성하는 이해가 있습니다. 이 이해를 '분석'(分析)이라 합니다. 따라서 우리는 다음과 같은 정의를 정립할 수 있습니다.

분석(分析)

: 우리 스스로 생각하는 중에 우리 자신의 생각 안에서 자명한 이해를 영원의 필연성으로 형성함.

선험(先驗)분석(分析)

: 몸-생김의 선험(先驗)으로 존재하는 엄마아빠의 사랑(sex)을 공간과 시간의 한계 안에서 감각적으로 지각하고 그에 의존하여 생각하는 것이 아니라, 지금 우리 자신의 몸에 나아가 우리 스스로 생각하는 중에 우리 자신의 생각 안에서 영원의 필연성으로 엄마아빠의 사랑(sex)을 이해한다.

: 엄밀히 말해서 '선험분석'은 엄마아빠의 영원하고 무한한 생명과 사랑이다.

몸으로 생겨나서 몸으로 살아가고 있는 우리가 지금 우리 자신의 몸에 나아가 '생김'을 이해할 때, 그 방법을 종합(綜合)으로 하면 여기에는 항상 우연성이 개입합니다. '엄마아빠의 사랑(sex)'을 종합으로 이해하면, '나는 왜 이런 부모로부터 생겨났을까?' 또는 '다른 좋은 부모 밑에서 태어났으면 좋을 텐데.'라는 생각을 하게 됩니다. 극단적으로 나아가면 부모의 존재를 부정하려고 합니다. 앞에서 다루었듯이 여기에는 무수한 곡절들이 있습니다. 그러나 그런 곡절들을 가지고 몸-생김의 본질로 존재하는 부모를 부정하게 되면, 이는 실질적으로 자기 스스로 자기 존재의 근간을 부정하는 것입니다. 결국 몸으로 살아가는 자신의 삶은 절대적으로 행복할 수 없습니다.

그러나 우리에게는 '종합'(綜合)이 아닌 '분석'(分析)이 주어져 있습니다. 우리 모두는 각자 자신의 몸으로 살아갑니다. '종합' 안에 있습니다. 우리의 몸을 낳아주신 엄마아빠도 몸으로 살아갑니다. '종합' 안에 있습니다. 그렇기 때문에 몸-생김의 선험(先驗)을 종합으로 이해하는 것은 자연스러운 것입니다. 그러나 우리는 이것을 얼마든지 분석(分析)으로 이해할 수 있습니다. 지금 우리 자신의 몸에 나아가 우리 스스로 생각해 봅시다. 우리 자신의 몸을 향한 우리 자신의 마음은 자기 안에서 자기 스스로 영원의 필연성으로 존재하는 몸-생김의 진실로서 '엄마아빠의 사랑(sex)'을 명백하게 이해합니다.

우리는 몸으로 살아갑니다. 매순간 감정을 느낀다는 것이 이 사실에 대한 증명입니다. 이 사실에 근거하여 우리 자신의 몸에 나아가 몸의 생김을 우리 스스로 생각해 보면, '엄마의 몸과 아빠의 몸이 서로 사랑한 결과 지금의 내 몸이 영원의 필연성으로 존재하도록 결정되었다.'는 사실을 명백하게 이해합니다. 여기에는 우연성이 없습니다. 이 이해는 종합이 아닌 분석에 기초하기 때문에 영원의 필연성을 속성으로 갖습니다. 왜냐하면 우리는 이 이해 이외 다른 방식으로 우리 몸의 생김을 이해할 수 없기 때문입니다. 영원의 필연성을 확인하는 것이 '분석'입니다.

엄마의 몸은 생명이며, 아빠의 몸도 생명입니다. 이 생명이 영원의 필연성으로 존재한다면, 그것의 속성은 '영원무한'입니다. 여기에는 절대적으로 죽음이 없습니다. 이 사실에 근거하여 '엄마아빠의 사랑(sex)'도 이해할 수 있습니다. 지금 우리 몸의 생김으로 존재하는 엄마아빠의 사랑은 영원무한의 생명 안에 있기 때문에, 이 사실로부터 사랑의 속성은 생명과 마찬가지로 '영원무한'입니다. 이제 우리는 몸-생김의 진실로서 엄마아빠의 존재가 영원무한의 생명이라는 사실, 그리고 이로부터 엄마아빠의 사랑 또한 영원무한의 사랑이라는 사실을 확인했습니다. 몸-생김으로서 선험(先驗)은 엄마아빠의 사랑이며, 이것은 영원의 필연성 안에서 '영원무한의 생명과 사랑'입니다.

진리의 필연성 안에서 영원무한의 생명과 사랑이 존재하며, 이 존재로부터 지금 우리의 몸이 영원의 필연성으로 생겨났습니다. 이 이해가 몸-생김에 대한 타당한 인식입니다. 감정과학은 이처럼 몸-생김의 선험(先驗)을 분석(分析)으로 이해하는 '선험분석'을 '성리'(性理)라고 정의합니다. 리(理)는 필연(必然)을 뜻하기 때문에 우리가 몸-생김의 선험(先驗), 즉 '성'(性)을 분석(分析)을 통해서 영원무한의 필연성인 리(理)로 이해하는 한에서 '리'와 '분석'은 본질적으로 동일한 개념입니다. 선험분석(先驗分析)이 성리(性理)인 이유입니다. 드디어 우리는 서문의 첫 번째 질문으로 돌아갈 수 있고, 문제의 답을 구할 수 있게 되었습니다.

이곳 서문에서 제기된 질문은 다음과 같습니다.

> '성리'(性理)는 무엇입니까?
> '성'(性)은 무엇입니까? '리'(理)는 무엇입니까?

이 질문에 대한 감정과학의 답을 다음과 같이 요약할 수 있습니다.

> '성'(性)은 '몸-생김'을 설명하는 '선험'(先驗)입니다. '리'(理)는 '영원의 필연성'을 이해하는 '분석'(分析)입니다. 그렇기 때문에 성리(性理)는

몸-생김의 선험(性)을 영원의 필연성(理)으로 이해하는 것입니다. 이 이해를 추구하는 학문이 성리학(性理學)입니다. 따라서 '성리학'은 영원무한의 생명과 사랑이 존재한다는 명백한 사실 안에서 이 사실로부터 지금 우리의 몸이 영원의 필연성으로 생겨나도록 결정되었다는 사실을 이해하는 학문입니다.

우리가 성리학을 연마함으로써 몸-생김의 진실로서 엄마아빠의 사랑을 영원무한의 생명과 사랑으로 이해하는 것이 왜 중요할까요? 무엇보다도 이 이해가 우리 몸의 생김에 대한 올바른 이해입니다. 그리고 이 이해가 분명할 때, 선험종합(先驗綜合) 속에 있는 엄마아빠의 사랑 이야기를 이해할 수 있습니다. 선험종합으로 존재하는 엄마아빠도 결국 '몸'으로 존재하기 때문에 엄마아빠의 몸에 고유한 몸-생김의 진실은 영원무한의 생명과 사랑을 본성의 필연성으로 갖습니다. 이 대목에서는 그 어떤 출생의 비밀이나 비극 같은 것은 없습니다. 모두가 단 하나의 필연성인 선험분석 안에서 선험종합을 배워서 이해하고, 그 결과 최상의 행복을 누리게 됩니다.

우리가 선험분석을 분명하게 이해하지 못하면, 뜻밖에 부모에 대한 원망에 휩싸이게 됩니다. 그러나 영원무한의 생명과 사랑 안에서 공간과 시간 속에 있는 엄마아빠의 사랑(sex) 이야기를 이해할 때, 부모를 향한 원망은 사라집니다. 그렇기 때문에 부모(생김)를 향한 자식의 원망은 엄밀히 말해서 몸-생김의 비극이 아니라 인식의 비극입니다. 이 비극이 우리 자신을 비극으로 몰아갑니다. 출생을 비밀로 간직할 수밖에 없는 비극, 더 나아가 엄마아빠의 존재를 지우려는 비극이 발생합니다. 몸-생김에 대한 올바른 인식이 매우 중요한 이유가 여기에 있습니다. 이를 위한 유일한 방법은 '분석'입니다. 자기 안에서 자기 스스로 이해하는 영원무한의 필연성이 분석이며 리(理)입니다. 이것으로 몸-생김을 이해해야 합니다.

자기 몸-생김에 대한 분석이 분명하지 않으면, 엄마아빠의 사랑을 우연성으로 바라보며, 급기야 '좋음'과 '나쁨'이 섞인 것으로 착각하게 됩니다. 그러나 몸-생김의 선험을 분석으로 이해하면, 영원의 필연성 안에서 몸-생김의 종합은 순수지선으로 이해됩니다. 감각적 현상으로 지각된 엄마아빠의 사랑이 품고 있는 수많은 곡절들은 분석에 의해서 생명과 사랑 안에서 묻고 배워서 이해하게 됩니다. 감각적으로 지각되는 수많은 엄마아빠의 사랑 이야기를 '성리'(性理)와 구분하기 위하여 감정과학은 '성기'(性氣)로 정의합니다. 따라서 우리는 선험종합을 성기(性氣)로 정의할 수 있습니다.

'선험분석(先驗分析): 성리(性理)' X '선험종합(綜合): 성기(性氣)'

영원의 필연성으로 생명과 사랑이 존재합니다. 이 존재가 우리 몸의 생김으로 존재하는 선험(先驗) 또는 성(性)의 진실입니다. 감정과학은 이 진실을 선험분석의 성리(性理)로 정의합니다. 이 진실은 지금 몸으로 살아가고 있는 우리 자신이 자기의 몸에 나아가 생김의 진실인 엄마아빠의 사랑(sex)에 대해서 생각한 결과 자명하게 확인한 진리의 필연성입니다. 이것을 이해하는 방법이 분석(分析) 또는 리(理)입니다. 그렇기 때문에 학문의 기초는 무엇보다도 '성리학'(性理學)입니다. 핵심은 지금 우리 자신의 몸에 나아가 몸-생김에 존재하는 엄마아빠를 감각적 현상이 아닌 그 자체의 본성, 즉 영원의 필연성으로 이해하는 것입니다.

이 이해(性理)가 분명할 때, 몸-생김에 존재하는 엄마아빠의 모든 이야기들(性氣)을 참답게 이해할 수 있습니다. 자식으로 존재하는 우리가 엄마아빠의 잘못을 뉘우치며 용서할 수 있게 되며, 이로부터 우리는 엄마아빠를 원망하거나 저주하기 보다는 뜻밖에 생명과 사랑으로 이해할 수 있게 됩니다. 다른 한편으로 엄마아빠의 생명과 사랑에 대한 참다운 인식을 결여한 자식이 자신의 잘못을 뉘우칠 수도 있습니다. 결국 자기 몸에 고유한 생김의 진실인 성리(性理)가 분명할 때, 자식으로 존재하는 우리는 더 이상 감각적 현상으로 몸-생김을 이해하지 않습니다. 오히려 감각적 현상으로 지각된 몸-생김을 올바르게 배워서 올바르게 이해합니다.

영원의 필연성으로 존재하는 성리(性理)의 진실을 이해함으로써 감각적 현상으로 지각되는 엄마아빠의 사랑 이야기(性氣)를 생명과 사랑 안에서 배우는 학문이 '성리학'(性理學)의 감정과학입니다. 이 학문은 감각적 현상으로 지각되는 엄마아빠의 사랑 이야기를 '성기'(性氣)라고 부릅니다. 따라서 다음과 같은 정의를 제시할 수 있습니다.

① 선험분석(先驗分析) = 성리(性理)

: 몸-생김의 본성인 엄마아빠의 사랑 이야기를 몸 자체의 본성으로 인식함으로써 영원무한의 생명과 사랑을 몸-생김의 선험 그 자체의 진리로 이해한다.

② 선험종합(先驗綜合) = 성기(性氣)

: 몸-생김의 본성인 엄마아빠의 사랑 이야기를 몸 자체의 본성으로 인식하는 것이 아니다. 나의 후험에 앞서는 부모의 후험을 나의 선험으로 간주한다. 그 결과 엄마아빠의 사랑을 공간과 시간의 한계 안에서 감각적으로 지각되는 현상으로 이해한다.

위의 두 정의는 우리에게 선택의 문제가 아닙니다. 선험분석으로서 성리(性理)가 우리 몸-생김에 대한 타당한 인식입니다.

이 인식이 분명할 때, 선험종합으로서 성기(性氣)에 대한 타당한 인식이 확립됩니다. 자식으로 존재하는 우리는 성리(性理) 안에서 성기(性氣)를 묻고 배움으로써 그에 대한 타당한 인식을 형성할 수 있습니다. 이러한 맥락에서 보면, 성리학(性理學)은 추상적인 '관념 철학' 또는 현실을 떠난 '초월 철학'이 아닙니다. 지금 우리 자신의 몸에 나아가 생김(性)에 고유한 본성을 영원의 필연성(理)으로 인식함으로써 영원무한의 생명과 사랑을 이해하고, 이 이해에 기초하여 엄마아빠(性)의 사랑 이야기(氣)를 올바르게 배우는 학문입니다. 이 학문을 연마함으로써 우리는 자기 몸의 생김을 생명과 사랑으로 이해하며, 그와 함께 자신의 존재를 최고의 완전성으로 축복하게 됩니다.

정리학(情理學): 리발기수(理發氣隨)

우리는 몸으로 생겨나고 몸으로 살아갑니다. 이 사실로부터 우리 자신에 대한 타당한 이해는 몸에 대한 이해입니다. 몸의 진실은 '생김으로 놀이', 즉 '생겨난 대로 놀이한다.'입니다. 이 진실에 근거하여 몸에 대한 이해를 생김과 놀이로 나누어 할 수 있습니다. 이미 앞에서 정의한 바와 같이, 몸-생김을 선험(先驗)의 성(性)이라 합니다. 이것을 이해하는 방법은 분석의 '리'(理)와 종합의 '기'(氣)가 있지만, 올바른 방법은 리(理)입니다. 이 방법으로 선험의 성(性)을 이해할 때, 그때 비로소 우리는 선험의 기(氣)를 생명과 사랑 안에서 올바르게 이해할 수 있습니다.

선험의 성(性)을 리(理)로 인식함으로써 그것의 기(氣)를 이해할 수 있다는 논리적 필연성을 다음과 같이 요약할 수 있습니다.

[성(性)]**리발(理發)**-[성(性)]**기수(氣隨)**

몸-생김의 선험(先驗)을 우리가 성(性)으로 정의할 때, 그에 대한 인식을 분석의 리(理)와 종합의 기(氣)로 나눌 수 있습니다. 이때 인식의 순서는 반드시 '리발기수'(理發氣隨)입니다. 이러한 인식의 순서가 분명하지 않으면 성리(性理)에 대한 인식에 어둡게 됩니다. 오직 감각적 현상인 성기(性氣)만으로 성(性)을 이해하게 됩니다. 내 몸의 생김으로 존재하는 엄마아빠의 사랑(sex)에 고유한 본성의 필연성인 영원무한의 생명과 사랑인 성리(性理)를 이해하지 못하면, 엄마아빠의 사랑은 공간과 시간의 한계 안에서 감각적으로 지각되는 현상(氣)적 사건(性)으로 잘못 이해됩니다. 이것은 성리학(性理學)이 추구하는 인식이 아니며, 또한 그 자체로 성(性)에 대한 참다운 인식이 아닙니다.

이제 우리는 선험분석으로서 성리(性理)에 대한 인식이 분명할 때, 선험종합으로서 성기(性氣)에 대한 타당한 이해가 정립된다는 사실을 확인할 수 있습니다. 이 사실에 근거하여 성리학의 다음과 같은 명제를 다시 봅시다.

성발위정(性發爲情)

방금 전에 우리는 성(性)에 대한 인식을 성리(性理)와 성기(性氣)로 나눈 다음, 이 둘 사이의 인식의 논리적 순서를 '리발기수'(理發氣隨)로 확인했습니다. 그렇다면 당연히 몸-놀이의 후험(後驗)인 정(情)에 대해서도 분석의 리(理)와 종합의 기(氣)라는 서로 다른 두 가지 인식이 성립한다는 결론이 영원의 필연성으로 연역됩니다. 왜냐하면 성(性)에 대한 인식을 리(理)와 기(氣)로 나눌 수 있다면, 성발위정(性發爲情)에 근거하여 정(情)에 대한 인식에 있어서도 리(理)와 기(氣)로 나눌 수 있기 때문입니다. 이는 우리가 얼마든지 감정을 감각적 현상으로 지각하며 해석할 수 있지만, 정반대로 얼마든지 그 자체에 고유한 본성의 필연성으로 이해할 수 있다는 것을 뜻합니다.

성리학(性理學)의 논리에 입각하여 생각해 보면, 이 결론은 지극히 당연한 것입니다. 몸-생김의 영원한 필연성이 영원무한의 생명과 사랑으로 분명하다면, '생김의 몸으로 놀이한다.'는 성리학의 공리인 성발위정(性發爲情)으로부터 생김의 진실로서 영원무한의 생명과 사랑은 당연히 몸-놀이의 진실로 존재합니다. 이는 기하학적 질서의 필연성 안에 있습니다. 삼각형의 본성을 따라서 우리가 삼각형을 그리는 것과 같은 이치로, 몸-생김의 본성을 따라서 몸-놀이가 이루어지는 것은 지극히 당연한 진리의 필연성입니다. 따라서 성리(性理)에 대한 인식이 우리에게 분명하다면, 이것은 정리(情理)에 대한 인식으로 증명됩니다.

이러한 진리의 필연성을 다음과 같이 정리할 수 있습니다.

성리(性理)로부터 정리(情理)의 필연성

성리학(性理學)은 반드시 정리학(情理學)으로 전개됩니다. 학문의 시작은 몸-생김의 진실을 배우는 '성리학'이지만, 그 끝은 몸-놀이의 진실을 배우는 '정리학'입니다. 결국 몸에 대한 타당한 인식이 전부입니다. 우리가 우리 자신의 몸에 나아가 생김의 진실을 분석으로 이해하는 한에서 이 진실은 그 즉시 놀이의 본질로 존재한다는 것을 이해합니다. 영원무한의 생명과 사랑 안에서 생겨난 몸이기 때문에 이렇게 생겨난 몸은 영원무한의 생명과 사랑 안에서 놀이합니다. 공간과 시간 속에서 무한한 방식으로 무한한 몸의 변화로서 감정은 영원의 필연성 안에서 생명과 사랑을 본성의 필연성으로 갖습니다.

이 사실을 부정하며 존재하는 감정은 절대적으로 없기 때문에 매 순간 무한히 변화하는 감정을 생명과 사랑의 필연성 안에서 배워서 이해하는 것이 '정리학'(情理學)입니다. 따라서 정리학(情理學)의 논리 또한 성리학(性理學)의 논리와 동일합니다.

[정(情)]리발(理發)-[정(情)]기수(氣隨)

우리는 몸으로 살아갑니다. 이 말은 몸의 무한 변화로 살아간다는 것을 뜻합니다. 우리의 몸은 무한한 방식으로 무한히 변화합니다. 우리 스스로 가슴에 손을 올려보면, 이 사실은 지극히 자명합니다.

그런데 몸의 무한 변화는 '순간 변화'의 무한성으로 이루어져 있으며, 우리는 그 각각의 순간 변화에 대한 개념을 '감정'으로 확인합니다. 우리가 매순간 무한한 방식으로 무한하게 감정을 느끼는 이유가 바로 여기에 있습니다. 감정과학은 이것을 후험(後驗) 또는 '몸-놀이'라고 부릅니다. 감정은 절대적으로 신체적 사건이지, 엄밀히 말해서 마음의 사건의 아니라는 뜻입니다.

우리가 이 사실을 우리 자신의 몸과 감정에 근거하여 명확히 이해할 때, 감정의 무한 생성에 대한 참다운 이해가 무엇인지 감정과학에 근거하여 쉽게 이해할 수 있습니다. 우리는 감정의 무한 생성 및 변화를 공간과 시간의 한계 안에서 감각적으로 지각되는 현상(氣)이나 사건(氣)으로 바라볼 수 있습니다. 그러나 이와 정반대로 우리는 얼마든지 감정을 그 자체에 고유한 본성의 필연성으로 이해할 수 있습니다. 왜냐하면 몸-놀이는 자신에 앞서는 몸-생김에 고유한 본성을 자기 존재의 필연성으로 갖고 있으며, 우리가 몸-생김의 본성을 영원의 필연성 안에서 영원무한의 생명과 사랑으로 확인한 이상 이 진실은 몸-놀이의 본성으로 당연히 존재하기 때문입니다.

성리(性理)로부터 정리(情理)는 필연적입니다. 이 사실로부터 공간과 시간 속에서 무한한 방식으로 무한히 생겨나고 변화하는 감정의 무한성에 대한 타당한 인식이 무엇인지 분명합니다. 무한한 방식으로 무한한 감정은 자신의 생성 및 변화에 관하여 자기 본성의 필연성인 정리(情理)를 영원의 필연성으로 가지고 있습니다. 그렇기 때문에 감정의 무한 변화에 대한 참다운 인식은 매순간에 고유한 본성을 영원의 필연성으로 이해하는 것입니다. 이 이해로부터 모든 감정은 순수지선으로 확인됩니다. 왜냐하면 우리가 어떤 감정에 고유한 본성을 영원의 필연성으로 확인한 이상, 그것의 존재는 절대성 그 자체이기 때문입니다.

다 좋은 세상

지금 우리 자신을 포함하여 자연 안에 존재하는 모든 몸은 성리(性理)를 따라서 존재하는 성기(性氣)에 의해서 생겨나도록 영원의 필연성으로 결정되어 있습니다. 기(氣)는 절대적으로 리(理)를 따라서 존재하며 활동합니다. 그렇기 때문에 성기(性氣)에 의해 성겨난 모든 몸은 궁극적으로 단 하나의 영원성 그 자체인 영원무한의 생명과 사랑인 성리(性理: 엄마아빠의 사랑)에 의해서 생겨났습니다. 순수지선이 아닌 다른 것으로 생겨난 몸은 절대적으로 없습니다. 몸은 '다 좋은 몸'으로 생겨납니다. 이 사실을 배우는 것이 '성리학'입니다.

이 사실로부터 순수지선이 아닌 다른 것으로 놀이하는 몸은 절대적으로 없습니다. 몸에 고유한 영원한 진실입니다. 몸은 무한한 방식으로 무한히 변화하며 그 각각에는 그에 고유한 곡절이 분명히 존재하지만, 그럼에도 불구하고 모든 감정은 자기 존재에 고유한 본성의 필연성으로서 영원무한의 생명과 사랑 안에 존재합니다. 이 사실, 즉 정리(情理) 안에서 정기(情氣)의 곡절을 이해하는 것이 감정에 대한 참다운 이해입니다. 그 결과 다 좋은 감정을 확인합니다. 이 사실을 배우는 것이 '성리학'의 '감정과학'입니다.

그러므로 순수지선으로 생겨난 몸이 순수지선의 감정으로 살아갑니다. 이 진실이 성리학의 감정과학이 이해하는 세상의 진실입니다.

지금 우리의 진실이며 동시에 천지만물에 고유한 진실입니다. 그렇기 때문에 '다 좋은 세상'은 학문의 목적이 절대 아닙니다. 다 좋은 세상은 몸의 생김과 놀이에 고유한 영원한 진실입니다. 따라서 다 좋은 세상은 만드는 것이 아니라 지금 우리 자신의 몸을 비롯해서 자연의 모든 몸에 대해서 타당한 인식을 확립하는 것입니다.

요약: 감정과학의 성리학 장르분석

'성리학'(性理學)의 감정과학은 '선험(性)-분석(理)'에 대한 명석판명의 이해를 확립하는 학문입니다. 지금 자신의 몸에 나아가 몸-생김에 고유한 본성의 필연성을 자기 스스로 자기 안에서 명백하게 이해하는 것입니다. 그 결과 영원의 필연성으로 존재하는 영원무한의 생명과 사랑을 이해하며, 이 존재로부터 지금 자신의 몸이 생겨났다는 사실을 진리의 필연성으로 이해하게 됩니다. 이 이해로부터 우리는 본래부터 최고의 행복 그 자체로 존재합니다.

이 이해가 분명할 때, 성리학은 '정리학'(情理學)으로 직결됩니다. 정리학은 '후험(情)-분석(理)에 대한 명석판명의 이해를 확립하는 학문입니다. 지금 자신의 감정에 나아가 몸-놀이로서 감정의 생김에 고유한 본성의 필연성을 자기 스스로 자기 안에서 명백하게 이해하는 것입니다. 그 결과 영원의 필연성으로 존재하는 영원무한의 생명과 사랑을 이해하며, 이 존재로부터 지금 자신의 감정이 생겨났다는 사실을 진리의 필연성으로 이해하게 됩니다.

퇴계 이황은 『성학십도』의 제6도에서 '성리학의 감정과학'에 고유한 논리를 다음과 같이 분명하게 정리했습니다. 「서문 1」에서 이미 제시한 원문입니다. 이 원문을 분석하면 다음과 같습니다.

其中圖者, 就氣稟中, 指出本然之性, 不雜乎氣稟而爲言.

子思所謂天命之性,

孟子所謂性善之性,

程子所謂卽理之性,

張子所謂天地之性, 是也.

其言性, 旣如此故, 其發而爲情, 亦皆指其善者而言.

如子思所謂中節之情,

孟子所謂四端之情,

程子所謂何得以不善名之之情,

朱子所謂從性中流出元無不善之情, 是也.

然則, **孟子 · 子思, 所以只指理言者**, 非不備也. 以其並氣而言, 則無以**見性之本善**故爾. 此中圖之意也.

'**其中圖者, 就氣稟中, 指出本然之性, 不雜乎氣稟而爲言.**'는 성리(性理)입니다. '**其言性, 旣如此故, 其發而爲情, 亦皆指其善者而言.**'은 정리(情理)입니다. 합리기(合理氣)의 성(性)에 나아가 본연지성(本然之性)을 이해한다는 것은 성(性) 그 자체의 본성을 이해하는 것입니다. 이 이

해가 '**指理言**'입니다. 이것이 바로 '선험(性)-분석(理)'입니다. 모든 몸은 순수지선으로 생겨났다는 것을 확인합니다. 그렇기 때문에 성(性)을 선험분석으로 인식한 이상, 정(情)에서도 선험분석으로 인식할 수 있다는 것이 '**指其善**'입니다. '**性之本善**'을 확인한 이상, 감정(情)에서도 그와 똑같은 방식으로 이해할 수 있다는 뜻입니다. 성(性)을 분석의 리(理)로 이해할 수 있다면, 당연히 감정(情)에 대해서도 분석의 리(理)로 이해할 수 있다는 것입니다. 그 결과 깨닫게 되는 것은 '다 좋은 세상'입니다.

이상의 논리가 우리가 퇴계의 『성학십도』에 근거하여 깨닫게 되는 '성리학의 감정과학'입니다. 사실상 지금까지 전개된 모든 논의들이 이 학문의 논리에 기초하고 있습니다. 그렇기 때문에 성리학(性理學)은 감정과학으로서 정리학(情理學)이며, 이것은 역으로도 성립합니다. 情理學이 性理學을 이해하는 기초이자 방법입니다. 이 사실이 분명할 때, 성리학을 감정과학으로 확인하는 방법은 감정과학의 논리에 근거하여 성리학을 이해하는 것입니다. 이 이해가 '**감정과학의 '성리학 장르' 분석**'입니다. 따라서 '성리학'을 감정과학으로 이해하기 위하여 성리학의 장르를 분석할 때, 이를 위한 감정과학의 논리를 다음과 같이 제시할 수 있습니다.

① 성리(性理)
: '선험분석'(性理)의 개념이 분명한가?

② 성리(性理)로부터 정리(情理)
: '후험분석'(情理)의 개념이 분명한가?

③ 성리(性理)에 근거하여 성기(性氣)
: '선험분석'(性理)으로 '선험종합'(性氣)을 이해하는가?

④ 정리(情理)에 근거하여 정리(情氣)
: '후험분석'(情理)으로 '후험종합'(情氣)을 이해하는가?

그러므로 국민대학교 문화교차연구소가 출판하는 『성리학의 감정과학 연구 총서』는 『성리대전』을 구성하는 송명(宋明) 시대 성리학자들의 성리(性理) 관련 논의가 과연 감정과학의 논리에 충실한지 여부를 확인합니다. 이것으로 우리는 성리학을 감정과학으로 증명할 수 있게 됩니다. 이 증명이 지금 우리에게 중요한 이유는 성리학에 대한 올바른 이해를 제시하기 때문입니다. 성리학은 몸에 대한 타당한 인식에 근거하여 감정에 대한 타당한 인식을 추구하는 학문입니다. 궁극적으로 우리는 성리학에 근거하여 우리 자신의 감정 및 세상 모든 감정에 대해서 올바르게 배워서 올바르게 이해할 수 있습니다. 생명과 사랑의 축복을 누리는 방법이 여기에 있습니다.

서문 3: '참고문헌'에 관하여

연구총서 시리즈 《성리학의 감정과학》은 퇴계 선생님이 『성학십도』에서 제시한 감정과학의 논리에 기초합니다. 감정과학에 의하면 학문의 핵심을 네 가지 장르로 요약할 수 있습니다. 이와 관련된 자세한 설명은 〖서문 2〗에서 충분히 다루었으므로 여기에서는 네 가지 장르의 핵심만을 제시하겠습니다.

성리(性理: 선험분석)	정리(情理: 후험분석)
성기(性氣: 선험종합)	정기(情氣: 후험종합)

감정과학에 근거한 학문의 네 가지 장르를 확인하면, 감정과학의 논리를 쉽게 알 수 있습니다. 그것은 '리발기수'(理發氣隨)입니다. 성(性)에서도 오직 '리발기수'이며, 정(情)에서도 오직 '리발기수'입니다.

그런데 여기에서 우리가 절대 혼동하면 안 되는 것은 '리발기수'는 두 개로 존재하는 것이 아니라는 사실입니다. 선험분석의 성리(性理)가 후험분석의 정리(情理)로 존재하기 때문에 리(理)는 단 하나이며, 그렇기 때문에 리발기수는 단 하나의 리(理)가 성(性)과 정(情)을 일관합니다. 그리고 단 하나의 리(理)는 무한한 방식으로 무한하게 생겨나는 몸의 성기(性氣)와 무한히 생겨나는 몸의 변화로서 감정의 정기(情氣)에 존재합니다. 그렇기 때문에 단 하나의 리(理)는 동시에 무한한 기(氣)에 고유한 필연성으로 존재합니다. 단 하나의 리(理)가 동시에 무한한 리(理)로 존재합니다.

이 주제는 기하학으로 쉽게 이해할 수 있습니다. 가장 간단하게 삼각형을 예로 들어 봅시다. 삼각형은 '세 개의 내각과 그 총합은 180도'를 영원의 필연성으로 갖습니다. 이 본성(理)을 따라서 무한한 방식으로 무한하게 삼각형이 생겨나고 동시에 우리는 이 본성(理)을 따라서 삼각형을 그립니다. 이때 삼각형은 '직각 삼각형'으로 생겨날 수도(그릴 수도) 있고, '이등변 삼각형'으로 생겨날 수도(그릴 수도) 있습니다. 삼각형의 무한 생김과 놀이를 두 개로 예를 들었습니다. 그런데 '직각 삼각형'은 그에 고유한 본성의 필연성이 있으며, '이등변 삼각형'도 그러합니다. 모든 삼각형은 본성의 필연성을 따라서 생겨나고 놀이한다는 사실에서 보면, 필연성은 영원성 그 자체로 단 하나입니다. 그러나 그것은 동시에 무한한 삼각형 각각에 고유한 본성의 필연성으로 무한히 존재합니다. 이것으로 리(理)를 쉽게 이해할 수 있습니다. 리(理)는 단 하나의 영원이면서 동시에 무한입니다.

감정과학이 제시하는 네 가지 장르와 여기에 고유한 논리를 확인하고 나면, 『성리대전』의 많은 주제들을 감정과학으로 정리할 때 가장 중요한 것은 감정과학의 논리에 근거하여 그 각각의 장르를 분석하는 것입니다. 『성리대전』을 구성하는 각각의 주제들에 나아가 네 가지 장르를 확인할 수 있고 그에 기초하여 감정과학의 논리인 '리발기수'를 확인할 수 있다면, 그때 비로소 성리학은 감정과학으로 증명됩니다. 이러한 맥락에서 본 연구 총서의 연구방법은 철두철미 〖감정과학의 장르분석〗입니다. 성리(性理)를 논하는 『성리대전』의 작품에 나아가 네 가지 장르를 확인하고, 그것이 과연 감정과학의 논리를 따르는지 여부를 확인하는 것이 연구 방법의 기초입니다.

이 기초가 분명하기 때문에 국민대학교 문화교차연구소의 연구총서 《성리학의 감정과학》은 오직 '장르분석'으로 『성리대전』을 탐구합니다. 현대 학자들의 기존의 연구 논문이나 연구 서적들은 전혀 고려하지 않습니다. 왜냐하면 그 어떤 연구도 성리학(性理學) 또는 『성리대전』을 연구함에 있어서 장르분석에 기초하지 않았기 때문입니다. 현대 학자들의 연구 성과를 무시하는 것이 결코 아닙니다. 오직 이 이유에 근거하여 성리학을 감정과학으로 밝히는 이번 연구는 그들의 논문이나 서적들을 고려하지 않습니다. 다만, 다음과 같은 책과 논문을 참고 문헌으로 제시합니다.

성리학의 감정과학 연구총서

1. 『주돈이 태극도설의 감정과학』

유교문화 감정과학 연구총서

1. 『유교문화의 정초 공자의 감정과학』
2. 『유교문화의 학문 대학의 감정과학』
3. 『유교문화의 미학 중용의 감정과학』

스피노자 윤리학 연구총서

1. 『감정으로 존재하는 신』
2. 『신의 존재를 증명하는 감정』
3. 『욕망의 이성』
4. 『감정의 예속과 자유』
5. 『신을 향한 지적인 사랑』

연구 논문

- **기하학적 질서에 따라 증명된 思學의 사단지정과 不思不學의 칠자지정**, 한국문화94(kci), 서울대학교 규장각(2021).
- **성학십도 심통성정도의 중도의 장르분석**, 퇴계학논집25(kci), 퇴계학연구원(2019).
- **기하학적 질서에 따라 증명된 퇴계 선생의 경(敬)**, 퇴계학논집19(kci), 퇴계학연구원(2016).

국민대학교 문화교차학과 학위 논문

- 박사학위

1. 2023, 유효통, 『감정과학에 기초한 중국 고대 회화 미학의 감정이해 분석』
2. 2023, 장학, 『감정과학에 기초한 주자와 왕양명의 '격물치지' 이론 연구 분석』
3. 2019, 유영관, 『'自明코칭'의 원리와 『中庸』의 '性, 道, 教'에 대한 나의 이해』

- 석사학위

1. 2023, 왕우가, 『감정과학에 근거한 문화소비 개념 연구』
2. 2022, 유지진, 『공자의 감정과학에 기초한 『시경』「관저」의 인간행복 연구』
3. 2022, 부홍리, 『현대 중국 학문의 위기 극복 방법으로서 감정과학의 「안자호학론」』
4. 2022, 진방, 『감정과학에 근거한 『논어(論語)』의 '빈부' 이해』

끝으로 참고문헌에 관련하여 가장 중요한 것을 말씀드립니다. 연구 총서 시리즈 《성리학의 감정과학》은 '**학고방**'에서 출판한 **『완역**

성리대전』의 편집을 따라서 원문과 번역을 인용하였습니다. 그렇기 때문에 본서의 본문에서 『완역 성리대전』의 원문과 번역을 인용을 할 때에는 그 각각에 대한 서지 정보를 생략하였습니다. 주옥같은 번역문 각각을 인용함에 있어서 일일이 각주로 감사의 마음을 표하지 못한 것에 대해서 용서를 미리 구합니다. 『완역 성리대전』을 번역해 주신 선생님들과 이 위대한 번역서를 출판해 주신 학고방 사장님께 깊은 감사 인사를 드리며, 《성리학의 감정과학》 제2권 『서명』의 감정과학에 대한 장르분석을 시작하겠습니다.

1부 선험(性) · 분석(理)

성 리

: 사람의 성스러움

1장. 선험(性) · 분석(理)

1. 성(誠)

성리학(性理學)은 '몸'으로 생겨나서 '몸'으로 살아가는 사람의 진실이 무엇인지 배우는 학문입니다. 이 정의로부터 성리학의 기초는 당연히 '몸'에 있다는 것을 알 수 있습니다. 몸의 '생김'(몸-생김)에 고유한 진실과 이 진실로부터 필연적으로 연역되는 것으로서 몸으로 살아가는 '인생'(몸-놀이)에 고유한 진실을 이해하면, 마침내 사람의 진실을 이해할 수 있습니다. 사람은 단 한순간도 자신의 몸을 떠나서 존재하지 않습니다. 자신의 몸으로 생겨나서 자신의 몸으로 살아갑니다. 몸의 진실이 사람의 진실입니다. 이 진실을 향한 학문이 '성리학'입니다.

성리학의 핵심을 위와 같이 이해하면, 성리학(性理學)의 '성'(性)은 몸의 생김과 놀이를 일관하는 '몸'의 본성입니다. 그런데 몸의 본성을 향한 인식에 관하여 매우 어려운 문제가 있습니다. 우리는 너무나 쉽게 그리고 습관적으로 몸의 겉모습(현상)이나 몸이 한 행동들을 종합하고, 그에 대한 우리 자신의 감각적 경향에 근거하여 몸의 본성을 이해합니다. 그 결과 몸의 본성에 대한 수많은 논의들이 발생했습니다. 일례로 동일한 몸의 겉모습을 두고 어떤 개인이나 문화는 몸의 본성을 아름답다고 판단하지만, 정반대로 또 다른 개인이나 문화는 전혀 아름답지 않다고 판단합니다. 급기야 사람(몸)의 본성 그 자체의 진실은 알 수 없다는 극단적인 주장까지 제기되었습니다.

그러나 사람 본성에 대한 인식의 불가지(不可知)를 주장하는 것은 매우 위험합니다. 무엇보다도 이 주장은 사람이 반드시 배워서 알아야 하는 것을 알 수 없는 것으로 결정합니다. 학문의 본질 및 본래적 기능을 심각하게 훼손하는 것입니다. 다음으로 이 주장은 문제 해결에 전혀 도움이 되지 않습니다. 우리가 이 주장으로 몸의 본성을 이해하면, 결국 몸의 현상이나 행동에 대한 서로 다른 감각적 판단들이 생겨나 자신만의 판단이 옳다고 주장하게 되어있습니다. 갑자기 몸의 본성에 대한 타당한 인식 보다는 자신의 감각적 판단이 다른 감각적 판단과의 관계에서 보다 더 큰 힘을 갖는데 몰입하게 됩니다. 감각적 판단들 사이에 서열이나 우열이 발생합니다.

이런 결론은 우리가 전혀 의도하지 않은 것입니다. 사람의 진실을 이해하기 위하여 몸의 본성을 이해하려고 할 때, 뜻밖에 감각적 판단들 사이에 어느 것이 보다 더 큰 힘을 갖는지 결정하는 판단력 전쟁이 발생합니다. 이 전쟁에서 최후 승자로 드러나는 판단력이 몸의 본성을 판단하는 지위를 차지하게 됩니다. 그러나 이 판단력은 사실상 거짓말입니다. 왜냐하면 이 판단력은 감각에 의존한 수동적 상태이므로 몸 그 자체의 본성 및 이로부터 연역되는 몸의 아름다움이 무엇인지 여전히 모르기 때문입니다. 진실로 우리가 알고 싶은 것은 몸 자체의 본성입니다. 이것으로 몸의 아름다움을 이해할 수 있으며, 궁극적으로 이 이해가 아름다움을 규정할 수 있는 유일한 개념의 기초입니다.

이 문제를 해결하기 위해 등장한 것이 '리'(理)입니다. 이 개념은 이미 서문에서 충분히 설명했습니다. 그러나 앞으로 전개되는 내용을 이해하기 위해서 여기에서 다시 다루겠습니다. 지금 우리가 알고 싶은 것은 몸의 본성입니다. 그런데 앞에서 언급한 바와 같이 몸의 본성에 관하여, 몸 자체의 본성으로 이해하는 것과 몸의 겉모습이나 몸의 행동 같은 감각적 현상으로 이해하는 것은 근본적으로 다릅니다. 우리가 몸의 본성에 대해서 알고자 할 때, 진짜 알고 싶은 것은 몸이 자기 안에 본래부터 품고 있는 그 자체의 본성입니다. 그것의 감각적 현상은 말 그대로 '현상'일뿐 '본성'은 아닙니다. 몸의 본성이 감각적 현상으로 드러난 것은 맞지만 현상이 곧 본성은 아닙니다.

이 주제는 우리 스스로 생각해 보면 쉽게 이해할 수 있습니다. 예를 들어서 우리를 만나는 많은 사람들이 우리가 입는 옷이나 먹는 음식 같은 것으로 우리 자신의 가치를 평가하면 기분이 어떻습니까? 분명 내가 입고 있는 옷이 분명하고 내가 먹고 있는 음식이 분명합니다. 그런데 옷이나 음식 같은 것으로 '나'의 존재를 알았다고 하거나 판단하면, 기분이 좋지 않습니다. 갑자기 좋은 옷과 음식에 의해서 '나'의 존재가 결정되는 것 같습니다. 그러나 우리 스스로 생각을 잘 해보면, 내가 입는 옷이나 내가 먹는 음식이 곧 나의 존재를 결정하는 것이 아님을 확인할 수 있습니다. 몸의 감각적 현상으로 몸의 본성을 이해하면 안 되는 이유가 여기에 있습니다.

그럼에도 불구하고 여전히 우리에게 풀리지 않는 문제는 몸 그 자체의 본성을 우리가 어떻게 알 수 있냐는 것입니다. 몸의 감각적 현상 이외 몸 그 자체의 본성을 과연 우리 스스로 분명하게 인식할 수 있을까요? 이 질문에 대해서 칸트는 '불가지'(不可知)로 대답했습니다. 몸 그 자체의 본성이 존재하기는 하지만, 우리는 그것을 알 수 없다는 것입니다. 공간과 시간의 한계 안에서 감각적으로 지각되는 몸의 현상만을 이해할 수 있기 때문에, 우리는 오직 그 현상들을 종합함으로써 대상의 본성을 알 수 있다고 합니다. 이러한 칸트의 불가지 인식론에 대한 반론이 '리'(理)입니다. 이 사실로부터 칸트의 인식론으로 理를 이해하고 논의하는 것은 오류입니다.

리(理)의 개념을 이해하는 가장 좋은 방법은 '옥'(玉)을 상상하는 것입니다. 여기에 겉으로 보기에 투박해 보이는 돌이 있습니다. 일반적인 돌과 전혀 다르지 않습니다. 그런데 이 돌을 깨서 보면, 이 돌은 자기 안에 영롱한 빛을 내는 옥을 가지고 있습니다. 겉보기에는 그냥 돌이지만, 그것은 자기 안에 가지런한 결과 함께 빛을 내는 옥을 품고 있습니다. 이것으로 우리는 理를 이해할 수 있습니다. 감각적 현상으로 존재하는 몸에 나아가 그것이 자기 안에 본래부터 품고 있는 성질을 이해하는 것이 理입니다. 이는 마치 돌을 깨어 그 속을 보는 것과 같습니다. 그래서 理는 감각적 현상의 종합(綜合)이 아니라 그 현상에 대한 분석(分析)입니다. 分은 '나누다'는 뜻입니다.

이제 남은 문제는 '방법'입니다. 옥은 돌을 깨서 그 속을 보면 됩니다. 몸은 어떻게 하면 그 자체의 본성을 이해할 수 있을까요? 이 물음에 대한 답이 우리의 '마음'(心)입니다. 우리의 마음은 생각하는 것입니다. 생각하는 우리의 마음이 몸의 본성인 성(性)을 분석(理)으로 이해하는 방법입니다. 우리 스스로 생각해 보면, 우리 자신에게 몸이 존재한다는 사실은 감각적으로 명백합니다. 이때, '우리의 몸은 어떻게 생겨난 것입니까?'라는 질문에 대해서 우리 마음의 생각은 무엇일까요? 우리가 원인과 결과의 필연성에 대해서 이해하는 한에서, 이 이해로부터 우리는 '엄마의 몸과 아빠의 몸이 서로 사랑함으로써 우리의 몸이 생겨나게 되었다.'라는 사실을 명백하게 이해합니다.

이 이해는 우리의 마음이 우리의 몸에 대해서 생각할 때 자기 안에서 자기 스스로 형성하는 것입니다. 마음은 자기의 생각 이외 다른 것에 절대적으로 의존하지 않습니다. 스스로 생각하는 마음은 자기 몸의 생김에 대해서 스스로 생각함으로써 스스로 이해를 형성합니다. 이 이해는 고아로 태어나신 분에 의해서 증명됩니다. 엄마아빠의 얼굴을 전혀 알 수 없는 분도 자기 몸을 두고 생김에 대해서 생각해 보면, 자기 스스로 자기 안에서 자기 부모의 존재를 이해합니다. 생각하는 마음이 자기 몸에 나아가 자기 스스로 자기 부모의 몸에 대해서 생각합니다. 이 생각은 우연성이나 가능성이 아니라 영원의 필연성을 본질로 갖습니다.

생각하는 마음은 자기 몸에 나아가 영원의 필연성으로 존재하는 엄마의 몸과 아빠의 몸 그리고 이 두 몸의 사랑에 대해서 분명하게 이해합니다. 이 이해는 몸으로 생겨나서 몸으로 살아가는 사람이면 누구나 자연스럽게 형성합니다. 절대적으로 그 어떤 예외도 없습니다. 이것은 기하학으로 보다 더 쉽게 이해할 수 있습니다. 어느 특정 공간과 시간에 삼각형이 존재한다고 할 때, 그 어떤 삼각형도 삼각형으로 존재하는 한에서 '세 개의 내각, 그리고 그 총합은 180도'라는 사실을 부정하고 존재하지 않습니다. 같은 이치로 동서고금을 불문하고 사람이 존재하기만 한다면, 그 어떤 사람도 '엄마의 몸과 아빠의 몸, 그리고 이 두 몸의 사랑'을 부정하고 존재하지 않습니다.

우리의 논의가 이 지점에 이르면, 반드시 다음과 같은 반론을 제기하는 분들을 만나게 됩니다.

세상에는 부모로부터 버림받은 분들 또는 학대를 받은 분들이 있습니다. 심지어 강간 등과 같은 입에 올릴 수조차 없는 비극적인 사건으로 인해 태어나신 분들도 있습니다. '엄마의 몸과 아빠의 몸, 그리고 이 두 몸의 사랑'이 과연 존재하는 것일까요?

그러나 이 물음에 대한 답은 의외로 쉽게 풀립니다. 방금 전까지 우리는 우리 자신의 몸이 자기 존재에 관하여 자기 안에 본래부터 품고 있는 본성에 대해서 논의하였습니다. 방법은 생각하는 우리의 마음입니다. 생각하는 마음이 인과의 필연성에 근거하여 자기 몸을 이해할 때, 마음은 영원의 필연성으로 존재하는 엄마의 몸과 아빠의 몸 그리고 이 두 몸의 사랑에 대해서 명명백백하게 이해합니다. 그러나 위의 질문들은 우리의 몸이 자기 안에 품고 있는 본성으로서 엄마아빠가 아니라 우리 몸 밖에 있는 엄마아빠의 이야기일 뿐입니다. 몸이 자신의 본성으로 품고 있는 엄마아빠의 몸과 몸 밖에 있는 감각적 현상으로서 엄마아빠의 몸을 혼동해서는 안 됩니다.

우리가 이 두 가지를 구분하면, 본성으로서 엄마아빠는 영원의 필연성 그 자체라는 것을 알 수 있습니다. 반대로 감각적 현상으로서 엄마아빠는 엄밀히 말해서 영원의 필연성이 아닌 우연성이나 가능성에 속합니다. '엄마아빠는 왜 그랬을까?', '엄마아빠가 그러지 않았으면 좋았을 텐데.' 등과 같은 우연과 가능의 여지를 남깁니다. 그렇기 때문에 우리가 우리 자신의 몸에 대해서 우리 자신의 생각하는 마음으로 그 자체에 고유한 본성을 이해하는 한에서, 이 이해는 영원의 필연성만을 확인합니다. 그런데 영원의 필연성은 엄격히 말해서 영원무한의 생명과 사랑입니다. 영원의 필연성으로 내 몸의 생명을 낳은 엄마아빠의 몸과 사랑이 존재하기 때문입니다.

엄마의 몸과 아빠의 몸은 내 몸의 생명을 낳기 때문에 당연히 생명입니다. 그런데 이 생명은 영원의 필연성으로 존재합니다. 그렇기 때문에 영원의 생명입니다. 그리고 이 생명의 몸은 사랑으로 나의 몸을 낳습니다. 그렇기 때문에 영원의 사랑입니다. 우리 스스로 자기 몸의 본성을 이와 같이 이해하면, 그 즉시 우리는 영원의 생명과 사랑에 의해서 우리의 몸이 생겨났다는 사실을 이해하게 됩니다. 그런데 이 진실을 부정하며 존재하는 몸은 없습니다. 여기에는 절대적으로 예외가 없습니다. 어떤 몸이 존재하고 있다면, 영원의 필연성 안에서 그 몸은 영원의 생명과 사랑에 의해서 생겨난 것입니다. '영원'의 생명과 사랑이 '무한'의 생명과 사랑입니다.

이처럼 자기 몸에서 영원무한의 생명과 사랑을 이해하는 것이 성리(性理)의 진실이며, 이 진실을 향한 학문이 성리학(性理學)입니다. 이제 우리는 우리 자신의 생각하는 마음을 방법으로 삼아 우리 자신의 몸이 자기 안에 본래부터 품고 있는 본성을 이해했습니다. 그것은 영원무한의 생명과 사랑입니다. 지금 우리 자신의 몸은 영원의 필연성 안에서 영원무한의 생명과 사랑으로 생겨났습니다. 이것 이상의 축복과 행복 그리고 성스러움이 있을까요? 최고의 행복이며 최고의 성스러움이 지금 우리 자신의 몸에 고유한 본성입니다. 이 놀라운 사실은 영원의 필연성 안에 존재하기 때문에 절대적으로 변화하지 않으며 절대적으로 사라지지 않습니다.

마침내 사람(자기 자신)에 대한 말(言)이 올바르게 이루어졌습니다(成). 사람에 대해서 올바르게 이루어진 말, 이 말을 '성'(誠)으로 정의할 수 있습니다.

誠 = 言(사람에 대한 바른 말이) + 成(이루어졌다.)

사람에 대한 바른 말은 사람의 몸이 영원무한의 생명과 사랑을 자기 본성의 영원한 필연성으로 갖는다는 진리입니다. 이 사실로부터 몸으로 생겨난 이 세상 모든 사람들은 영원의 필연성 안에서 성스러움에 의해서 성스러움으로 생겨난 성스러운 사람입니다. 성스러운 사람을 '성인'(聖人)으로 정의합니다.

聖人 = 영원무한의 생명과 사랑에 의해서 생겨난 성스러운 사람

성(誠)과 성인(聖人)에 대한 개념을 위와 같이 정리하면, 우리는 본격적으로 주돈이의 『통서』(通書)를 이해할 수 있는 준비를 완료한 것입니다. 이제부터 본격적으로 주돈이의 『通書』를 살펴보겠습니다. 주돈이는 이 책을 다음과 같은 정의로 시작합니다.

[2-1-1 『완역 성리대전』]
誠者, 聖人之本.
성(誠)은 성인의 본령이다.

'성인'(聖人)은 사람의 진실입니다. 사람은 본래부터 '성스러운 몸'(엄마 몸과 아빠 몸의 사랑)에 의해서 '성스러운 몸'으로 생겨났습니다. 이러한 몸의 진실을 앞에서 성(誠)으로 정의하였으므로, 誠이 聖人의 본질이라는 결론은 당연합니다. 참고로 지금 여기에서 논의하는 誠을 『대학』의 '성의'(誠意)와 연결시키거나 의지력(意) 등과 같은 유사한 개념으로 이해해서는 절대 안 됩니다. 주자도 다음과 같이 이 사실을 강조합니다.

[2-1-1-0 『완역 성리대전』]

誠者, 至實而无妄之謂, 天所賦物所受之正理也. 人皆有之, 而聖人之所以聖者無他焉, 以其獨能全此而已. 此書與『太極圖』相表裏, 誠即所謂太極也.

성誠은 지극히 참되어 망령됨이 없는 것으로, 하늘이 부여하고 만물이 받은 바른 리理이다. 사람들이 모두 그것을 가지고 있지만, 성인이 성인인 까닭은 다름이 아니라 그가 유독 이를 온전하게 할 수 있기 때문이다. 이 책은 『태극도』와 서로 표리가 되는데, 성誠이 바로 이른바 태극이다.

주자에 의하면 성(誠)은 "하늘이 부여하고 만물이 받은 바른 리(理)"입니다. '誠 = 理'의 등식이 성립한다는 것을 확인할 수 있습니다. 다음으로 더 중요한 논점이 있습니다. 주자는 "사람들이 모두 그것을 가지고 있지만, 성인이 성인인 까닭은 다름이 아니라 그가 유독 이를 온전하게 할 수 있기 때문이다."라고 말했습니다. 이에 이어서 "성(誠)이 바로 이른바 태극이다."라고 말했습니다. '誠 = 理 = 太極'의 등식이 성립한다는 것을 알 수 있습니다. 그렇기 때문에 가장 중요한 것은 『통서』의 誠이 무엇인지 개념을 명확히 하는 것입니다. 성인은 지금 우리 자신을 초월한 특수 존재가 아니라 성스럽게 생겨난 사람이 자신의 성스러움을 다시 배워서 이해하는 사람입니다.

誠 = 言(사람에 대한 바른 말이) + 成(이루어졌다.)

誠 = 理 = 太極 = 몸의 본성 = 영원무한의 생명과 사랑

성(誠)을 "하늘이 부여하고 만물이 받은 바른 리(理)"로 정의할 때, 만물 가운데 지금 '나' 자신의 몸도 이에 해당합니다. 이로부터 지금 나의 몸이 영원무한의 생명과 사랑으로 존재하는 하늘이 부여한 理를 자신의 본성으로 가지고 있다는 사실을 반드시 '나' 스스로 이해할 수 있어야 합니다. 우리는 이 말의 뜻을 반드시 주돈이의 『태극도·설』에 입각하여 이해해야 합니다. 주돈이의 『태극도·설』은 국민대학교 문화교차연구소가 출판하는 성리학의 감정과학 연구총서 제1권, 『주돈이 태극도설의 감정과학』에서 이미 다루었습니다. 그렇기 때문에 이하에서는 지금 우리의 논의와 관련하여 주돈이의 『태극도·설』을 살펴보겠습니다.

태극(太極)은 내 몸의 본성으로 존재하는 '선험분석'(先驗分析)입니다. 太極은 자기 존재에 관하여 자기가 원인으로 존재하는 자기원인이며, 그러한 한에서 단 하나의 실체(實體)입니다. 동시에 이 실체는 자신의 몸으로 자연을 구성하는 모든 몸을 존재하게 하는 단 하나의 영원한 필연성입니다. 이러한 몸이 존재한다는 사실을 이해하는 가장 좋은 방법은 우리 자신의 몸에 나아가 인과의 필연성을 생각해 보는 것입니다. 나의 몸을 낳아준 엄마의 몸과 아빠의 몸, 그리고 이 두 분의 몸을 낳아준 엄마의 엄마아빠의 몸 그리고 아빠의 엄마아빠의 몸을 생각하게 됩니다. 이 생각을 거듭하면 할수록 우리는 '사랑' 안에 존재하는 '엄마의 몸과 아빠의 몸'만을 영원의 필연성으로 확인합니다.

영원의 필연성으로 사랑 안에 존재하는 엄마의 몸과 아빠의 몸은 당연히 영원무한으로 존재하는 생명과 사랑의 몸입니다. 이 몸이 진실로 존재합니다. 이 사랑이 진실로 존재합니다. 지금 '나'의 몸 안에 본성의 영원한 필연성으로 존재합니다. 이 사실을 나 자신의 마음이 나 자신의 몸에 대해서 생각할 때 영원의 필연성으로 자명하게 이해합니다. 이 이해는 명명백백하게 형성된 것이므로 그 어떤 의심의 여지를 남기지 않습니다. 지금 나의 몸에 관한 한 엄마아빠의 몸과 사랑은 논리적으로 먼저 존재하기 때문에 당연히 선험입니다. 또한 이 몸과 사랑은 우리가 절대적으로 경험할 수 없기 때문에 당연히 선험입니다. 우리 자신의 마음은 이 선험의 사실을 이해하는 능력을 본래부터 가지고 있습니다. 이 이해가 분석입니다.

태극(太極)은 내 몸의 존재에 관한 한 '선험분석'(先驗分析)이며, 몸 그 자체에 고유한 본성의 필연성입니다. 이것의 진실은 영원무한의 필연성이며, 동시에 영원무한의 생명과 사랑입니다. 이것이 리(理)이며, 이것을 주돈이는『통서』에서 사람의 성스러움을 밝히는 진리로서 성(誠)으로 정의합니다. 몸으로 생겨난 사람이기만 하면, 영원무한의 생명과 사랑으로 존재하는 몸에 의해서 생겨난 성스러운 사람입니다. 영원의 필연성 안에서 영원무한의 생명과 사랑으로 존재하는 것은 당연히 자기 본성의 필연성만을 따라서 영원무한의 생명과 사랑을 본성으로 갖는 것을 무한한 방식으로 무한히 낳습니다. 몸-생김의 진실이 성스러움 그 자체인 이유가 여기에 있습니다.

우리가 이 진실을 우리 자신의 몸에서 이해하게 된다면, 성(誠)은 절대적으로 목적론적 윤리학으로 이해될 수 없다는 것을 명백하게 이해할 수 있습니다. 몸으로 생겨난 사람이기만 하면 본래부터 영원의 필연성으로 영원무한의 생명과 사랑을 자기 몸의 진실로 가지고 있습니다. 영원으로부터 영원에 이르는 영원의 필연성 그 자체인 영원무한의 생명과 사랑의 몸 안에서 영원무한의 생명과 사랑의 몸으로 생겨났습니다. 절대적으로 이 진실은 변하거나 사라지지 않습니다. 몸으로 생겨나서 몸으로 존재하는 한에서 이 진실은 영원의 필연성으로 몸 그 자체의 본성으로 존재합니다. 즉, 성(誠)은 우리가 도달하거나 획득해야 하는 학문의 목적으로 제시되지 않습니다.

이 사실을 주자도 분명히 밝힙니다.

> [2-1-1-1 『완역 성리대전』]
>
> 朱子曰 : "誠是實理自然, 不假修爲者也."
>
> 주자가 말했다. "성誠은 참된 이치가 저절로 그러한 것이지, 수양을 의지하는 것이 아니다."

성(誠)은 우리 몸에 고유한 본성의 필연성이기 때문에 본래부터 우리 몸 안에 존재합니다. 그렇기 때문에 정말 중요한 것은 자기 몸에 대한 '자기이해'입니다. 자기 스스로 자기 몸의 본성에 대해서 생각해 보면 誠은 영원의 필연성으로 본래부터 존재합니다. 별도의 행동이나 별도의 작위적인 노력이 필요하지 않습니다. 이러한 맥락에서 주자는 "수양을 의지하는 것이 아니다."라고 말했습니다. "참된 이치가 저절로 그러한 것"라고 말했습니다.

그러므로 우리가 주돈이의 『통서』에서 반드시 확인해야 하는 것은 인간은 본래부터 성스러운 사람으로 생겨났다는 사실입니다. 인간의 성스러움에 관하여 그 어떤 수준이나 경지 같은 술어(述語)들이 첨가되어서는 절대 안 됩니다. 몸으로 생겨나서 존재하는 사람이면, 몸 그 자체의 본성인 성(誠)에 의해서 사람은 본래부터 영원의 필연성으로 성스러움 그 자체의 존재입니다. 몸으로 생겨나서 존재하는 사람이 어떤 모습을 하고 있는 그리고 어떤 행동을 했는지는 묻지 않습니다. 몸으로 생겨나서 몸으로 존재하고 있다는 사실 그리고 몸 그 자체의 본성에 근거하여 사람은 본래부터 성스러움 그 자체입니다. 우리에게 이 진실이 분명해야 합니다.

2. 건원(乾元)

본래부터 자기원인으로 존재하는 태극(太極) 또는 성(誠)을 주돈이는 건원(乾元)으로 이야기합니다. 건(乾)은 영원의 필연성이며, 원(元)은 자기원인입니다. 우리가 이렇게 이해할 수 있는 근거는 주돈이가 만물(萬物)의 생김에 관하여 건원(乾元)을 기원으로 설명하기 때문입니다. 성(誠)에 근거하여 몸-생김의 선험분석인 태극(太極) 또는 리(理)를 이해하는 한에서 주돈이가 乾元을 만물의 존재를 결정한 궁극의 원인으로 설명하고 있다는 사실로부터 乾元은 誠 또는 太極과 다른 것일 수가 없습니다. 다음과 같은 주돈이의 언급을 살펴볼 필요가 있습니다.

[2-1-2『완역 성리대전』]

"大哉! 乾元. 萬物資始," 誠之源也.

"크도다! 건乾의 원元이여. 만물이 그것을 취하여 시작하였다."라고 하였으니, 성의 근원이다.

“만물이 그것을 취하여 시작하였다.”라고 했습니다. 여기에서 ‘그것’은 ‘건원’(乾元)입니다. 몸으로 생겨나서 존재하는 모든 것이 만물(萬物)이기 때문에 이것의 시작을 乾元에 두는 한에서 乾元은 영원무한의 생명과 사랑입니다. 이 사실은 우리 자신의 몸에 근거하여 생각하면 쉽게 이해할 수 있습니다. 그리고 이미 앞에서 주돈이는 우리 몸의 본성 및 자연의 본성으로 존재하는 영원무한의 생명과 사랑을 성(誠)으로 정의하였습니다. 이 경우 이 개념은 절대적으로 『대학』의 ‘성의’(誠意)로 이해될 수 없다고 했습니다. 주돈이가 乾元을 ‘誠의 근원’으로 설명하는 근본 이유입니다. 따라서 『통서』에 관한 한 誠을 誠意로 이해해서는 안 됩니다.

주자도 다음과 같이 확인합니다.

[2-1-2-0 『완역 성리대전』]

此上二句, 引『易』以明之. 乾者, 純陽之卦, 其義爲健, 乃天德之別名也. 元, 始也. 資, 取也. 言乾道之元, 萬物所取以爲始者, 乃實理流出以賦於人之本, 如水之有源. 即『圖』之陽動也.

이상의 두 구절은 『역』을 인용하여 밝히었다. 건乾은 순수하게 양으로 구성된 괘이며 그 뜻은 굳셈이니, 천덕天德의 다른 이름이다. 원元은 시작한다는 의미이다. 자資는 취한다는 의미이다. 건도乾道의 원을 만물이 취하여 시작으로 삼기에 참된 이치가 흘러나와 사람에게 근본을 부여하기를 마치 물에 근원이 있는 것과 같음을 말한다. 바로 『태극도』에서 양의 움직임이다.

“원(元)은 시작한다는 의미이다. 자(資)는 취한다는 의미이다.”라고 말했습니다. 자연의 모든 몸은 자기 생김에 관하여 인과의 필연성을 본성의 필연성으로 갖는다는 것을 확인합니다. "건도(乾道)의 원을 만물이 취하여 시작으로 삼기에 참된 이치가 흘러나와 사람에게 근본을 부여하기를 마치 물에 근원이 있는 것과 같음을 말한다."라고 말한 까닭입니다. 자연을 구성하는 모든 몸은 자기 존재에 관하여 인과의 법칙을 영원의 필연성으로 따른다는 사실을 확인합니다. 따라서 영원무한의 생명과 사랑 그 자체인 자기원인의 실체가 본래부터 존재하고 있다는 사실을 이해하는 것이 매우 중요합니다.

이 이해가 분명할 때, 자연의 모든 몸이 영원무한의 생명과 사랑을 몸에 고유한 본성의 필연성으로 갖는다는 사실을 이해할 수 있게 됩니다. 이 사실을 주돈이는 다음과 같이 확인합니다.

[2-1-3『완역 성리대전』]

"乾道變化, 各正性命," 誠斯立焉.

"건의 도가 변화하여 각기 성性과 명命을 바르게 한다."라고 했으니, 성誠이 여기에서 정립된다.

영원무한의 생명과 사랑 그 자체인 건원(乾元)이 변화함으로써 자연의 모든 몸에 고유한 본성의 필연성으로 존재하기 때문에 자연의 모든 몸은 乾元의 본성인 영원무한의 생명과 사랑을 영원의 필연성으로 따를 수밖에 없다는 사실을 확인합니다. 이 사실을 주자는 다음과 같이 확인합니다.

[2-1-3-0『완역 성리대전』]

此上二句, 亦『易』文. "天所賦爲命, 物所受爲性." 言乾道變化, 而萬物各得受其所賦之正, 則實理於是而各爲一物之主矣. 即『圖』之陰靜也.

이상의 두 구절은 또한 『역』의 글이다. “하늘이 부여한 것은 명命이 되고 만물이 받은 것은 성性이 된다.” 건의 도가 변화하여 만물이 각기 그 부여받은 것의 바름을 얻으니, 참된 이치가 여기에서 각각 한 사물의 주인이 됨을 말한다. 바로 『태극도』에서 음의 고요함이다.

위의 인용은 매우 중요하기 때문에 세 부분으로 나누어 살펴보겠습니다.

① 天所賦爲命(하늘이 부여한 것은 명(命)이 되고)

: 성(誠) 또는 건원(乾元)은 영원의 필연성 안에서 영원무한의 생명과 사랑입니다. 이 생명과 사랑이 지금 ‘나’의 몸을 낳았기 때문에 몸의 진실은 영원의 필연성으로 생명과 사랑입니다. 이 진실을 어기며 존재하는 몸은 절대적으로 없습니다. 따라서 명(命)은 誠에 고유한 본성의 영원한 필연성입니다.

② 物所受爲性.(만물이 받은 것은 성(性)이 된다.)

: 영원의 필연성 그 자체인 영원무한의 생명과 사랑이 몸을 낳았기 때문에 영원무한의 생명과 사랑은 몸에 고유한 본성으로 존재합니다.

③ 實理於是而各爲一物之主矣.(참된 이치가 여기에서 각각 한 사물의 주인이 됨을 말한다.)

: 영원무한의 생명과 사랑을 어기며 존재하거나 활동하는 몸은 자연 안에 절대적으로 없다는 사실을 확인합니다. 이 지점에서 다음과 같은 반론, ‘왜 사람은 생명과 사랑을 어기는 악행(惡行)을 하는가?’라는 질문을 예상할 수 있습니다. 그러나 이 질문은 지금까지 전개된 논의의 맥락이 분명하지 않기 때문에 발생합니다. 지금 우리의 논의는 선험분석에

근거하여 그것으로부터 영원의 필연성으로 결정된 몸의 진실이 무엇인지 논의하고 있습니다. 즉, 우리의 논의는 후험에 대한 것이 아닙니다. 몸 그 자체의 본성의 필연성을 이해하는 한에서 이 이해로부터 '몸-놀이'에 결정된 진실이 무엇인지 이해하는 것이 지금 우리의 논의에서 핵심입니다.

위에서 분석한 세 가지 논점을 주자는 다음과 같이 정리합니다.

[2-1-3-2『완역 성리대전』]

"'「大哉! 乾元. 萬物資始,」 誠之源也', 此統言一箇流行本源. '乾道變化, 各正性命', 誠之流行出來, 各自有箇安頓處. 如爲人也是這箇誠, 爲物也是這箇誠, 故曰'誠斯立焉.' 譬如水, 其出只是一源, 及其流出來千派萬別, 也只是這箇水."

"'「크도다! 건의 원이여. 만물이 그것을 취하여 시작하였다.」라는 것은 성誠의 근원이다.'라고 했는데, 이것은 유행의 본원을 통틀어 말한 것이다. '건의 도가 변화하여 각기 성과 명을 바르게 한다.'라는 것은 성誠이 유행하여 나와 각자 처할 곳이 있음을 말다. 예컨대 사람이 되는 것도 이 성이고, 만물이 되는 것도 이 성이기 때문에 '성이 여기에서 정립된다.'고 한다. 예를 들어 물이 나오는 곳은 다만 하나의 샘이지만, 그것이 흘러 수많은 곳으로 퍼져나가는 경우에도 또한 단지 이 물인 것과 같다."

요약하면 다음과 같습니다.

단 하나의 실체가 존재하고, 이것으로부터 무한한 것이 무한하게 생겨난다. 따라서 실체로부터 생겨난 모든 것은 실체의 본성, 즉 영원무한의 생명과 사랑을 자기 존재에 고유한 본성으로 갖는다.

2장. 선험(性)·분석(理)의 진실

1장은 『통서』의 '성'(誠)과 '성인'(聖人)에 대해서 탐구하였습니다. 몸으로 생겨나서 존재하는 사람(자연 만물)은 영원의 필연성 안에서 영원무한의 생명과 사랑에 의해서 생겨나 존재합니다. 이 사실의 절대 불변을 확인하는 것이 誠입니다. 이 사실이 지금 우리 자신의 진실이기 때문에 聖人은 지금 '나'의 진실입니다. 내 몸의 본성으로 존재하는 영원무한의 생명과 사랑을 주돈이는 다음과 같이 정의합니다.

[2-1-4 『완역 성리대전』]
純粹至善者也.
순수하고 지극히 선한 것이다.

聖人의 본질인 誠은 '순수지선'(純粹至善)입니다. 지금 우리 자신의 몸에 고유한 영원의 본성이 純粹至善이며, 몸으로 생겨나 몸으로 존재하는 자연의 모든 것(만물)이 純粹至善을 자기 본성의 필연성으로 갖습니다. 그렇기 때문에 주돈이가 『통서』에서 주장하는 몸 그 자체의 본성으로서 純粹至善은 절대적으로 몸의 감각적인 현상이나 행동에 의해서 설명되거나 규정되지 않습니다. 이점이 매우 중요합니다. 몸 그 자체의 본성으로 존재하는 영원무한의 생명과 사랑이 純粹至善입니다. 이것 이외 그 어떤 것으로도 純粹至善을 설명하거나 이해할 수 없습니다.

주자도 이 사실을 다음과 같이 확인합니다.

[2-1-4-0 『완역 성리대전』]

純, 不雜也. 粹, 無疵也. 此言天之所賦, 物之所受, 皆實理之本然, 無不善之雜也.

순은 섞이지 않음이다. 수는 흠이 없음이다. 이는 하늘이 부여한 것과 만물이 받은 것 모두 참된 이치의 본연이니, 선하지 않은 것이 섞이지 않았음을 말한다.

순수지선(純粹至善)은 "하늘이 부여한 것과 만물이 받은 것 모두 참된 이치의 본연"입니다. 몸-생김에 고유한 본성 그 자체의 진실이 純粹至善입니다. 감각적으로 지각되는 몸의 현상이나 행동을 가지고 몸의 본성을 이해하거나 그것의 純粹至善을 이해하는 것이 아닙니다. 영원의 필연성으로 존재하는 영원무한의 생명과 사랑이 자기 본성인 영원의 필연성을 따라서 자연의 모든 몸을 영원무한의 생명과 사랑으로 무한하게 산출합니다. 이것이 자연의 진실입니다. 자연을 구성하는 모든 것은 영원무한의 생명과 사랑 안에서 영원무한의 생명과 사랑으로 생겨나 존재합니다. 감정과학은 이러한 자연의 진실을 '다 좋은 세상'이라고 정의합니다.

그러므로 성인(聖人)의 성(誠)에 고유한 진실을 설명하는 순수지선(純粹至善)은 학문의 핵심입니다. 즉, 우리가 반드시 배워서 알아야 하는 우리 자신의 진실 및 자연의 진실입니다. 우리가 도달해야 하는 목적이나 수준이 절대 아닙니다. 이 사실을 주자도 다음과 같이 확인합니다.

[2-1-4-3『완역 성리대전』]

問："'純粹至善者也', 至善二字, 與『大學』中至善同否?"

曰："'純粹至善', 猶曰純粹而至善云耳. '至善'與『大學』理同."

물었다. "'순수하고 지극히 선하다.'에서 지선至善이라는 두 글자는 『대학』 속의 지선至善과 같습니까?

(주자가) 대답했다. "'순수하고 지극히 선하다.'는 것은 순수하고 지극히 선한 것을 이르는 말일 뿐이다. '지극히 선하다'는 것은 『대학』의 리理와 같다."

『대학』의 리(理)는 격물치지(格物致知)의 핵심입니다. 학문의 핵심을 자신의 몸에 두기 때문에 자기 몸에 나아가 생각하고 배우는 것이 격물(格物)입니다. 이를 통해서 자기 스스로 자기 몸에 고유한 본성의 필연성인 리(理)를 이해하는 것이 치지(致知)입니다. 格物致知의 결과는 자기 몸의 본성인 '태극(太極)=리(理)=성(誠)'을 이해하는 것이며, 이 이해는 실질적으로 자기 본성을 純粹至善으로 이해하는 것입니다. 그렇기 때문에 純粹至善의 '至善'을 『대학』의 理와 같다는 말은 학문의 핵심은 純粹至善을 인식하는 데에 있다는 사실을 강조합니다. 純粹至善에 의해서 純粹至善이 무한한 방식으로 무한하게 생겨납니다.

3장. 선험(性) · 분석(理)의 변용

2장의 핵심은 영원의 필연성 안에서 순수지선(純粹至善)으로 존재하는 것이 영원의 필연성으로 純粹至善만을 무한한 방식으로 무한하게 산출한다는 사실입니다. 지금 우리 자신의 몸에 고유한 진실이며, 무한한 몸을 품고 있는 자연의 진실이기도 합니다. 영원무한의 생명과 사랑으로 존재하는 몸이 존재하며, 이 몸은 자기 몸으로 자연의 무한한 몸을 무한하게 산출합니다. 이와 동일하게 영원무한의 생명과 사랑으로 존재하는 정신(마음)이 존재하며, 이 정신은 자기 정신으로 자연의 무한한 정신을 무한하게 산출합니다.

이 사실은 지금 우리 자신의 '몸'과 '정신'으로 쉽게 이해할 수 있습니다. 몸의 생김에 대해서 생각해 보면, 자기원인의 몸에 의해서 지금 우리 자신의 몸이 생겨났다는 사실을 이해합니다. 같은 방식으로 나의 정신을 이해할 수 있습니다. 지금 나의 정신이 자신의 생김에 대해서 생각해 보면, 자기원인의 정신에 의해서 지금 나 자신의 정신이 생겨났다는 사실을 이해합니다. 지금 나의 정신이 내 몸의 생김을 인과의 필연성으로 인식함으로써 본래부터 존재하는 단 하나의 실체로서 자기원인의 몸을 자명하게 이해하는 이상, 나의 정신은 자기원인의 정신을 자명하게 이해하며 이 정신으로부터 자신이 생겨났다는 사실을 자명하게 이해합니다.

우리가 몸과 정신의 진실을 위와 같은 논리적 필연성으로 이해하는 데에 성공하면, 몸과 마음의 진실을 다음과 같이 간단하게 정리할 수 있습니다.

자기원인으로 존재하는 '몸'에 의해서 자연의 모든 '몸'이 생겨난다.
자기원인으로 존재하는 '정신'에 의해서 자연의 모든 '정신'이 생겨난다.

단 하나의 실체인 '영원무한의 생명과 사랑' 안에 '영원무한의 생명과 사랑의 몸'이 존재하며, 같은 방식으로 '영원무한의 생명과 사랑의 정신'이 존재합니다. 영원무한의 생명과 사랑의 몸은 자신의 몸으로 무한한 몸을 무한하게 산출합니다. 이 사실은 영원의 필연성이기 때문에 몸-생김의 논리를 '음'(陰)으로 정의합니다. 한편, 영원무한의 생명과 사랑의 마음도 이 논리를 절대적으로 따르지만, 마음은 자신의 생각으로 자기 몸이 산출하는 자연의 모든 몸을 생각합니다. 이러한 정신의 적극적인 성격 때문에 마음-생김의 논리를 '양'(陽)으로 정의합니다. [이와 관련된 자세한 논의는 『주돈이 태극도설의 감정과학』의 1부 3장을 참고.]

영원무한의 생명과 사랑으로 존재하는 단 하나의 실체인 태극(太極) 또는 성(誠)은 몸과 마음을 자신의 속성으로 갖습니다. 이 사실은 지금 우리 자신이 몸과 마음으로 존재한다는 사실로부터 명백합니다. 자기원인으로 존재하는 몸이 우리의 몸을 산출합니다. 같은 논리적 필연성을 따라서 자기원인으로 존재하는 마음이 우리의 마음을 산출합니다. 주돈이는 이러한 논리적 필연성을 '음양'(陰陽)으로 설명합니다.

[2-1-5『완역 성리대전』]

故曰“一陰一陽之謂道，繼之者善也，成之者性也.”

그러므로 “한 번은 음이 되고 한 번은 양이 되는 것을 도라고 하니, 이어가는 것이 선이고, 이룬 것은 성性이다.”라고 한다.

도(道)는 단 하나의 실체인 성(誠)이 자기 본성을 따라서 자연의 모든 몸과 마음을 낳는 것입니다. 誠은 자신의 몸으로 자연의 모든 몸을 산출합니다. 이것이 “한 번은 음이 되고”입니다. 같은 방식으로 誠은 자신의 마음으로 자연의 모든 마음을 산출합니다. 이것이 “한 번은 양이 되는 것”입니다. 이렇게 道는 자신의 몸과 마음으로 자연의 모든 몸과 마음을 낳기 때문에 誠에 고유한 순수지선은 陰陽에도 존재합니다. “이어가는 것이 선이고”라고 말한 까닭입니다. 그 결과 자연의 몸과 마음이 생겨나는데, 純粹至善은 당연히 그것의 본성으로 존재합니다. “이룬 것은 성性이다.”라고 말한 이유입니다.

주자도 이러한 논리적 필연성을 다음과 같이 확인합니다.

[2-1-5-0『완역 성리대전』]

此亦『易』文. 陰陽，氣也，形而下者也. 所以一陰一陽者，理也，形而上者也. 道即理之謂也. 繼之者，氣之方出而未有所成之謂也. 善，則理之方行而未有所立之名也，陽之屬也，誠之源也. 成，則物之已成. 性，則理之已立者也，陰之屬也，誠之立也.

이 또한 『역』의 글이다. 음양은 기이니, 형이하자形而下者이다.. 한 번은 음이 되고 한 번은 양이 되게 하는 것이 리理이며, 형이상자形而上者이다. 도는 바로 리를 말한다. 이어간다[繼]는 것은 기가 막 나와서 아직 이룬 것이 있지 않음을 말한다. 선(善)은 리가 막 유행하여 아직 정립된 것이 있지 않음을 말하니, 양에 속하는 것이고, 성誠의 근원이다. 이룸[成]은 만물이 이미 이루어진 것이다. 성性은 리가 이미 정립된 것이니, 음에 속하는 것이고, 성誠이 정립된 것이다.

매우 중요하기 때문에 네 부분으로 나누어 살펴보겠습니다.

① 한 번은 음이 되고 한 번은 양이 되게 하는 것이 리理이며

: 誠은 자기의 몸(陰)과 마음(陽)으로 자연의 모든 몸과 마음을 무한히 낳습니다.

② 도는 바로 리를 말한다.

: 자기원인으로 존재하는 단 하나의 실체가 '誠=太極=理'입니다. 이것이 자기 속성인 몸과 마음으로 자연의 모든 몸과 마음을 낳기 때문에 陰陽의 道는 당연히 理입니다.

③ 이어간다[繼]는 것은 기가 막 나와서 아직 이룬 것이 있지 않음을 말한다. 선善은 리가 막 유행하여 아직 정립된 것이 있지 않음을 말하니, 양에 속하는 것이고, 성誠의 근원이다.

: 실체의 정신은 자기 몸으로 산출하는 자연의 모든 몸에 대해서 그것의 존재를 관념으로 가지고 있습니다. 이것이 "기가 막 나와서 아직 이룬 것이 있지 않음을 말한다."의 뜻입니다. 동시에 실체의 정신은 자기 몸으로 산출하는 모든 몸에 고유한 본성의 필연성에 대해서 관념을 가지고 있습니다. "리가 막 유행하여 아직 정립된 것이 있지 않음을 말하니"의 뜻입니다.

이 주제를 쉽게 이해하기 위해서 두 가지 사례를 제시할 수 있습니다. 하나는 '비행기'입니다. 비행기는 그 몸에 고유한 본성이 있습니다.

즉, 비행기는 자기 몸의 본성에 고유한 본성을 필연적으로 따라서 존재합니다. 이 본성을 따라서 비행기의 몸이 존재합니다. 우리의 정신이 이 몸에 고유한 본성의 필연성을 인식할 때 마침내 비행기의 몸을 만들어 냅니다. 영원의 필연성으로 존재하는 몸이 비행기의 몸을 만들어 내며 그 몸에 고유한 필연성으로 존재합니다.

다른 하나는 우리 자신의 '감정'입니다. 우리는 매 순간 무한한 방식으로 무한한 감정을 느낍니다. 그렇기 때문에 우리가 앞으로 어떤 감정을 느끼게 될지는 절대적으로 알 수 없습니다. 그러나 어느 순간 새로운 감정을 느끼게 된다면, 그 감정은 절대적으로 영원의 필연성을 따라서 존재하는 것이며, 그러한 한에서 그것의 본성은 영원의 필연성으로 존재합니다. 결국 과거-현재-미래의 공간과 시간에 존재하는 모든 감정은 영원의 필연성 안에서 영원의 필연성으로 생겨납니다.

그러므로 몸의 생김에 관하여 새로운 몸 및 감정의 생김에 관하여 그것의 새로움은 이전에 없던 것이 분명하지만, 이러한 새로운 생김은 절대적으로 영원무한의 생명과 사랑 그 자체로 존재하는 誠 안에서 誠에 의해서 결정된 것입니다. 즉, 공간과 시간의 형식 안에서 감각적으로 지각되는 모든 것은 과거-현재-미래를 불문하고 영원의 필연성 안에서 誠에 의해서 생겨나도록 결정되었습니다. 따라서 과거-현재-미래의 모든 것이 영원의 필연성을 따라서 순수지선(純粹至善) 안에서 純粹至善으로 생겨나 존재합니다.

④ 이룸[成]은 만물이 이미 이루어진 것이다. 성性은 리가 이미 정립된 것이니, 음에 속하는 것이고, 성誠이 정립된 것이다.

: 誠에 고유한 정신(陽)은 자기 몸으로 산출할 수 있는 모든 것에 대한 관념 및 그 각각에 고유한 본성에 대한 관념을 영원의 필연성으로 가지고 있기 때문에 誠의 몸은 오직 영원의 필연성 안에서 자기 몸으로

산출할 수 있는 모든 몸을 무한히 산출합니다. “음에 속하는 것이고, 성(誠)이 정립된 것이다.”라고 말한 까닭입니다.

위의 네 가지 분석을 주자는 다음과 같이 간단하게 정리합니다.

[2-1-5-2『완역 성리대전』]

“一陰一陽之謂道,” 太極也. “繼之者善,” 生生不已之意, 屬陽. “成之者性,” “各正性命”之意, 屬陰. 此書第一章可見.

“한 번은 음이 되고 한 번은 양이 되는 것을 도라고 한다.”는 것은 태극이다. “이어가는 것이 선이다.”라는 것은 생겨나고 생겨나서 그치지 않는다는 뜻으로 양에 속한다. “이룬 것이 성이다.”라는 것은 “각기 성과 명을 바르게 한다.”는 뜻으로 음에 속한다. 이 책의 제1장에서 볼 수 있다.

성(誠)은 자기의 몸과 마음으로 자연의 모든 몸과 마음을 무한한 방식으로 무한하게 산출합니다. 誠의 몸은 자연의 모든 몸에 고유한 본성으로 존재하며(陰), 誠의 마음은 이 모든 몸에 대한 관념을 가지고 있습니다(陽). 따라서 우리는 이상의 논의를 다음과 같이 요약할 수 있습니다.

실체의 변용(變容)

: 誠이 자신의 몸과 마음으로 자연의 모든 몸과 마음을 낳는다.

실체의 변용에 의한 양태(樣態)

: 자연의 모든 몸과 마음은 실체의 본성인 순수지선을 자기 본성의

필연성으로 갖는다.

실체의 변용과 그에 따른 양태의 진실을 주돈이는 다음과 같이 요약합니다.

[2-1-6『완역 성리대전』]

元·亨, 誠之通; 利·貞, 誠之復.

원元과 형亨은 성의 통함이고, 이利와 정貞은 성의 돌아옴이다.

"성의 통함"은 실체의 변용이며, "성의 돌아옴"은 실체의 변용에 의해서 생겨난 양태의 진실입니다. 순수지선(純粹至善)이 純粹至善으로 만물을 산출하며(通), 이 사실로부터 만물은 純粹至善을 자기 본성의 필연성으로 갖습니다(復). 시작과 끝이 영원 안에 있습니다. 주자도 이와 동일한 논리로 이해합니다.

[2-1-6-0『완역 성리대전』]

元, 始; 亨, 通; 利, 遂; 貞, 正; 乾之四德也. 通者, 方出而賦於物, 善之繼也. 復者, 各得而藏於已, 性之成也. 此於『圖』已爲五行之性矣.

원은 시작이고, 형은 통함이며, 이는 이룸이고, 정은 바름이니, 건의 네 가지 덕이다. 통함은 막 나와서 사물에 부여함이니, 선의 이어감이다. 돌아옴은 각기 얻어서 자기에게 저장함이니, 성의 이룸이다. 이것은『태극도』에서 이미 오행의 성性으로 여긴 것이다.

"통함은 막 나와서 사물에 부여함"이라고 했습니다. 이것은 실체의 변용(變容)입니다. "돌아옴은 각기 얻어서 자기에게 저장함"이라고 했습니다. 이것은 실체의 변용에 의해서 생겨난 양태(樣態)입니다.

지금까지 논의된 내용이 매우 어려울 수 있지만, 방법은 자기 스스로 자기 몸에 나아가 생김의 필연성을 이해하는 것입니다. 이 이해만이 『통서』의 감정과학 및 성리학의 감정과학을 이해하는 유일한 방법입니다. 주자도 이 사실을 다음과 같이 확인합니다.

[2-1-6-7 『완역 성리대전』]

“元·亨·利·貞, 理也; 有這四段, 氣也. 有這四段, 理便在氣中, 兩箇不曾相離. 若是說時, 則有那未涉於氣底四德. 要就於氣上看也得, 所以伊川說‘元者物之始, 亨者物之長, 利者物之實, 貞者物之成.’ 這雖是就氣上說, 然理便在其中, 伊川這說話改不得. 謂有是氣, 則理便具, 所以伊川只恁地說, 便可見得物裏面便有這理. 若要親切, 莫若只就自家身上看. 惻隱須有惻隱底根子, 羞惡須有羞惡底根子, 這便是仁·義·禮·智, 便是元·亨·利·貞. 孟子所以只得恁地說, 更無說處. 仁·義·禮·智似一箇包子, 裏面合下都具了. 一理渾然, 非有先後. 元·亨·利·貞便是如此, 不是道有元之時, 有亨之時.

(주자가 말했다.) “원·형·이·정은 리이고, 이 네 단계는 기이다. 이 네 단계에서 리는 바로 기 속에 있으니, 둘은 서로 떠난 적이 없다. 이와 같이 말하면 아직 기에 관여하지 않은 그 네 가지 덕이 있다. 기의 측면에서 보고자 해도 되니, 그 때문에 이천程頤은 ‘원은 만물의 시작이고, 형은 만물의 자람이며, 이는 만물의 결실이고, 정은 만물의 이룸이다.’라고 말했다. 이것은 비록 기의 측면에서 말한 것이지만 리는 바로 그 속에 있으니, 이천의 이 말은 고칠 수 없다. 이 기가 있으면 리는 바로 구비되어 있다고 말했으니, 이천이 단지 이와 같이 말할지라도, 곧 사물 속에 바로 이 리가 있음을 알 수 있다. 만약 절실하게 하려고 하면 단지 자기 자신에게서 보는 것 만한 것이 없다. 측은에는 반드시 측

은의 뿌리가 있고, 수오에는 반드시 수오의 뿌리가 있으니, 이것이 바로 인·의·예·지이고, 바로 원·형·이·정이다. 맹자는 다만 이와 같이 말했을 뿐 더 말한 것이 없다. 인·의·예·지는 마치 하나의 만두와 같아서 그 속에 본래 모두 갖추어졌다. 하나의 리는 혼연하여 선후가 있지 않다. 원·형·이·정도 바로 이와 같아서 원의 때가 있다거나 형의 때가 있다고 말한 것이 아니다."

위의 인용에서 가장 중요한 부분을 밑줄로 강조했습니다. 주자는 "만약 절실하게 하려고 하면 단지 자기 자신에게서 보는 것 만한 것이 없다."라고 말했습니다. 여기에서 '자기 자신'이란 '자신의 몸(身)'입니다. 원문은 "若要親切, 莫若只就自家身上看."이라고 분명히 말했습니다. 우리의 마음이 우리의 몸에 나아가(就) 인과의 필연성에 대해서 생각해 보면 영원무한의 생명과 사랑으로 존재하는 몸의 존재를 영원의 필연성으로 확인하며 동시에 이 존재에 의해서 지금 나의 몸이 존재하도록 결정되었다는 사실을 이해합니다. 이 이해로부터 나의 마음도 나의 몸과 동일한 논리적 필연성으로 존재하도록 결정되었다는 사실을 이해합니다. 따라서 감정의 진실도 인과의 필연성을 따릅니다.

주자는 몸의 진실 안에서 감정의 진실을 이해하는 감정과학의 진실을 다음과 같이 확인합니다.

[2-1-6-8 『완역 성리대전』]

"乾元者始而亨," 是生出去. 利·貞是收斂凝聚, 方見性情. 所以周子言"元·亨誠之通, 利·貞誠之復."

(주자가 말했다.) "'건의 원은 시작하고 형통하는 것이다.'라고 하니, 이것은 생겨나오는 것이다. 이·정은 수렴하여 모이는 것이니, 비로소 성

정性情을 본다. 따라서 주자周子는 '원·형은 성의 통함이요, 이·정은 성의 돌아옴이다.'라고 했다."

모든 것은 성(誠) 안에 존재하며 誠에 의해서 존재하도록 결정되어 있습니다. 그렇기 때문에 몸의 생김은 誠을 본성으로 가지며, 우리가 감정에 대한 정의를 몸의 변화로 이해하는 한에서 감정의 생김도 誠을 본성으로 갖습니다. 주자가 "비로소 성정(性情)을 본다."라고 말한 근본 이유입니다. 따라서 모든 변화는 誠 안에 존재하며 오직 誠에 의해서 결정됩니다. 이 사실을 주돈이는 다음과 같이 확인합니다.

[2-1-7 『완역 성리대전』]
大哉! 易也. 性命之源乎!
크도다! 역이여. 성과 명의 근원이로다!

자연을 구성하는 모든 몸(지금 나의 몸)은 성(誠)에 의해서 생겨납니다. 이 사실은 영원의 필연성 안에 있습니다. 그렇기 때문에 몸의 순간 변화인 감정도 이 사실 안에 존재합니다. 그러므로 다음과 같은 결론은 필연적입니다.

모든 생김과 그것의 모든 변화로서 감정의 생김을 우리가 변화를 뜻하는 '역'(易)으로 이해하는 한에서 易의 진실은 모든 것에 고유한 본성의 필연성으로서 성(誠)입니다. 단 하나의 실체로 존재하는 자기원인인 誠은 오직 자기 본성의 진실인 순수지선(純粹至善)을 영원의 필연성으로 따름으로써 자연의 모든 것을 무한한 방식으로 무한하게 생성하며, 오직 이 사실로부터

자연의 모든 것은 영원의 필연성으로 **純粹至善**입니다. 그러므로 자연의 모든 몸이 **純粹至善**이며, 그 모든 몸의 변화로서 모든 감정도 **純粹至善**이니다.

4장. 선험(性) · 분석(理)의 후험(情) · 분석(理)

3장의 핵심은 '성정'(性情)입니다. 몸-생김의 진실이 영원무한의 생명과 사랑 그 자체로서 순수지선(純粹至善)이라면, 몸의 변화인 감정의 진실 또한 영원무한의 생명과 사랑 그 자체로서 純粹至善입니다. 즉, 몸의 본성에 고유한 진실이 성(誠)이기 때문에 몸의 변화에 고유한 본성 또한 誠입니다. 이 사실로부터 우리 인간을 비롯해서 자연을 구성하는 만물의 진실은 성스러움 그 자체입니다. 이 가운데 특히 인간을 성스러운 존재로 강조하는 이유는 자연 만물 가운데 오직 인간만이 이 사실을 배워서 이해하며 동시에 가르치기 때문입니다.

주돈이는 다음과 같이 말합니다.

> [2-2-1『완역 성리대전』]
> 聖, 誠而已矣.
> 성聖은 성誠일 뿐이다.

몸의 성스러움은 몸의 감각적 현상이나 행동을 두고 하는 말이 절대 아닙니다. 몸 그 자체의 본성이 영원무한의 생명과 사랑 그 자체를 뜻하는 성(誠)이기 때문에, 오직 이 사실에 근거하여 몸의 성스러움을 확인합니다. 앞 문단에서 언급한 바와 같이 자연 안에 존재하는 만물 가운데 인간만이 이 사실을 이해하기 때문에 인간의 성스러움을 강조합니다. 주자도 다음과 같이 말합니다.

[2-2-1-0 『완역 성리대전』]

聖人之所以聖, 不過全此實理而已. 卽所謂太極者也.

성인이 성인인 까닭은 이 참된 이치를 온전히 하는 것에 지나지 않는다. 바로 이른바 태극이다.

인간의 성스러움이 따로 없습니다. 본래부터 인간은 자연의 만물과 동일하게 성스러움 그 자체로 생겨났습니다. 이 사실을 이해하는 인간이기 때문에 인간의 성스러움을 유독 강조합니다. 인간이 연마하는 학문의 기초가 이 사실에 대한 확인입니다. "성인이 성인인 까닭은 이 참된 이치를 온전히 하는 것에 지나지 않는다."라고 말한 이유입니다. 여기에서 참된 이치를 온전히 하는 것이란, 자기 몸이 본래부터 가지고 있는 誠을 자기이해의 자명함으로 명명백백하게 이해하는 것입니다. 이 誠을 주자는 태극(太極)으로 다시 확인합니다.

우리가 성(誠)의 진실을 태극(太極)으로 이해하게 되면, 마침내 우리는 우리 자신의 '몸'뿐만 아니라 자연의 모든 몸을 감각적 현상이 아닌 본성의 필연성으로 존재하는 太極으로 이해하게 됩니다. 이 이해가 영원의 필연성으로 분명하기 때문에 마침내 우리는 자연을 향한 믿음 안에서 무한한 방식으로 무한한 자연의 몸을 순수지선(純粹至善)으로 배워서 이해합니다. 이러한 이해를 추구함으로써 자연의 진실을 純粹至善으로 배워서 이해하는 사람이 성인(聖人)입니다. 그러한 한에서 성리학(性理學)이 정의하는 聖人은 초월적이며 절대적인 존재가 아니라 자연의 진실을 배워서 이해하는 사람입니다.

주자는 性理學을 연마하는 聖人이 무엇인지 다음과 같이 설명합니다.

> [2-2-1-3 『완역 성리대전』]
>
> "聖人氣質淸純, 渾然天理, 初無人欲之私以病之. 是以仁則表裏皆仁, 而無一毫之不仁. 義則表裏皆義, 而無一毫之不義."
>
> (주자가 말했다.) 성인은 기질이 맑고 순수하여 온통 천리이니, 애초부터 인욕의 사사로움으로 그것을 병들게 하지 않았다. 그러므로 인仁을 행하면 겉과 속이 모두 인하여 조금이라도 인하지 않음이 없고, 의義를 행하면 겉과 속이 다 의로워서 조금이라도 의롭지 않음이 없다.

주자는 "성인은 기질이 맑고 순수하여 온통 천리이니"라고 말했습니다. 성인(聖人)의 기질(氣質)이 맑고 순수한 이유는 다른 氣質과 구분되는 특별한 氣質을 받았기 때문이 절대 아닙니다. 만약 우리 가운데 어떤 이가 聖人의 聖人됨을 일반 사람과 구분되는 순수한 氣質에서 찾는다면, 그이는 주돈이가 『통서』를 시작한 '성'(誠)의 개념에 대해서 제대로 이해하지 못한 것입니다. 영원의 필연성 안에서 영원무한의 생명과 사랑으로 존재하는 몸(마음)이 존재하며, 이 존재로부터 자연의 모든 몸(마음)이 무한한 방식으로 무한하게 생겨난다고 확인했습니다. 이 사실에 근거하여 보면, 자연을 구성하는 모든 몸의 氣質은 영원의 필연성으로 순수지선(純粹至善)입니다.

이 사실을 이해하는 사람이 성인(聖人)이라고 했습니다. 이로부터 聖人의 氣質이 純粹至善으로 존재한다는 것은 지극히 당연합니다. 순수하지 못한 氣質을 받은 몸은 자연 안에 절대적으로 없습니다. 자연을 구성하는 모든 몸은 영원의 필연성에 의해서 純粹至善으로 존재하도록 결정되어 있습니다. 이 사실을 아는 사람이 聖人이기 때문에 성인은 자신을 비롯해서 자연의 모든 몸(氣質)이 純粹至善으로 존재하도록 영원의 필연성에 의해서 결정되어 있다는 사실을 명백하게 이해합니다. 聖人의 氣質이 맑고 순수하여 온통 천리(天理)인 이유가 바로 여기에 있습니다.

우리는 이 사실에 근거하여 '인욕의 사사로움'을 이해해야 합니다. 우리가 우리 자신의 몸을 성(誠)으로 이해하지 못하면, 그 즉시 우리는 우리 자신의 몸을 비롯해서 자연의 모든 몸을 감각적 현상으로 이해하게 됩니다. 이 말은 자연 안에 존재하는 모든 몸을 '좋은 몸'과 '좋지 않은 몸'으로 구분하게 된다는 것을 뜻합니다. 이러한 구분에 의해서 우리는 '좋은 몸'을 소유하려 하며, 이와 정반대로 '좋지 않은 몸'에 대해서는 그 존재를 부정하려고 합니다. 전쟁과 폭력이 발생하는 원인은 여기에 있습니다. 이러한 비극을 발생시키는 것이 바로 '인욕의 사사로움'입니다.

성인(聖人)에게는 인욕의 사사로움이 없습니다. 이 말은 욕망이 없다는 뜻이 절대 없습니다. 엄밀히 말해서 聖人의 욕망은 자연의 모든 몸을 그 자체의 본성인 성(誠)으로 배워서 이해하려는 '이성적 욕망'입니다. 여기에는 인욕의 사사로움이 없습니다. 왜냐하면 聖人이 자신의 몸을 비롯해서 자연의 모든 몸을 그 자체에 고유한 본성의 필연성인 성(誠)으로 이해하는 한에서 聖人은 영원의 필연성 안에서 모든 몸의 순수지선(純粹至善)만을 이해하기 때문입니다. 즉, 자연의 모든 몸을 감각적 현상에 의존함으로써 그것의 좋음과 나쁨을 논하는 것이 아닙니다. 그 모든 몸이 본래부터 자기 안에 품고 있는 자기 본성의 필연성을 인식함으로써 그것의 純粹至善을 이해합니다.

이러한 이해를 추구하는 것이 인(仁)을 행하는 것입니다. 그렇기 때문에 이때의 행(行)은 감각적인 행동이 아니라 이성적 욕망을 따라서 자연의 모든 몸을 그 자체의 본성으로 이해하는 '배움'입니다. 우리가 이렇게 자연을 배우면 우리는 절대적으로 자연의 純粹至善만을 확인할 뿐입니다. 이 진실 안에서 자연의 모든 몸을 사랑합니다. 이 진실 안에서 자연의 모든 몸이 서로를 사랑한다는 사실을 확인합니다. 자연의 진실은 약육강식이 아니라 영원무한의 생명과 사랑 안에서 서로를 사랑하는 것입니다. 이 사랑이 의(義)를 행하는 것입니다. 따라서 자연 안에 불의(不義)는 존재하지 않습니다. 참고로 지금 우리의 논의는 후험(後驗)의 감각적 경험에 의존하지 않습니다. 선험(先驗)의 성(誠)에 의한 것입니다. 절대 혼동하면 안 됩니다.

방금 우리는 몸 그 자체의 본성인 성(誠)에 근거하여 인(仁)을 행(行)하는 것과 의(義)를 행(行)하는 것이 무엇인지 확인했습니다. 다음과 같이 요약할 수 있습니다.

仁을 行함

: 몸 그 자체의 본성을 우리가 이해하는 한에서 우리는 자연의 모든 몸을 그 자체의 본성(誠)으로 '이해'한다.

義를 行함

: 자연의 모든 몸을 그 자체의 본성(誠)으로 이해하면, 자연의 모든 몸은 영원의 필연성 안에서 생명과 사랑만을 확인하며 '살아간다.'(誠)는 것을 '이해'한다.

이상의 요약을 확인한 다음, 주돈이의 『통서』를 보겠습니다. 주돈이는 다음과 같이 말합니다.

> [2-2-2 『완역 성리대전』]
> 誠, 五常之本, 百行之源也.
> 성은 오상의 근본이고, 모든 행위의 근원이다.

주돈이는 성(誠)을 "모든 행위의 근원이다."라고 확인합니다. 誠에 의해서 모든 몸이 생겨나기 때문에 이 사실로부터 우리는 모든 몸을 誠으로 이해해야 하며[仁行], 그 결과는 필연적으로 모든 몸의 행동을 誠으로 이해하는 것입니다[義行]. 이렇게 이해할 수 있는 근거는 모든 몸은 誠에 의해서 존재하도록 결정되어 있으며, 이 사실로부터 모든 몸은 誠을 따라서 활동할 수밖에 없기 때문입니다. 몸의 생김으로부터 필연적으로 연역되는 몸의 놀이의 진실이 분명하기 때문에 우리는 이에 대한 믿음 안에서 매순간 새롭게 만나는 자연의 모든 몸을 誠으로 이해하며 그 모든 몸의 활동을 誠으로 이해합니다.

이 이해는 무엇이 하는 것일까요? 엄밀히 말해서 우리의 몸이 아니라 우리의 마음이 합니다. 몸은 철두철미 誠 안에 존재하며 오직 誠을 따라서 활동하며 변화합니다. 몸은 誠을 의식하지 않습니다. 자연스럽게 誠을 따라서 생겨나고 놀이합니다. 이 사실에 근거하여 몸을 음(陰)으로 이해하며, 그 성질을 고요함을 뜻하는 정(靜)으로 분류합니다. 반면 마음은 능동적입니다. 자신의 생각으로 몸의 생김과 놀이에 고유한 본성으로서 성(誠)을 이해합니다. 이 사실에 근거하여 마음을 양(陽)으로 이해하며, 그 성질을 움직임을 뜻하는 동(動)으로 분류합니다. 따라서 우리는 주돈이의 다음과 같은 말을 이해할 수 있습니다.

[2-2-3『완역 성리대전』]

靜無而動有, 至正而明達也.

고요할 때에는 없고 움직일 때에는 있으며, 지극히 바르면서도 밝고 통달한다.

"고요할 때에는 없고 움직일 때에는 있으며"라고 했습니다. 몸은 誠을 의식하거나 이해하지 않습니다. 반면 마음은 자기 몸을 비롯해서 자연의 모든 몸을 誠으로 배워서 이해합니다. 그렇기 때문에 앞에서 요약한 '인행'(仁行)과 '의행'(義行)은 몸에 없으며 오직 마음에 있습니다. 마음이 몸에 나아가 하는 일이 仁行과 義行입니다. 마음이 이러한 행동으로 몸을 이해하는 한에서 마음은 지극히 바르며 몸에 대해서 최고의 완전성 그 자체인 순수지선으로 이해합니다. 이러한 마음의 행동을 "지극히 바르면서도 밝고 통달한다."라고 합니다. 몸은 생김과 놀이에 관하여 오직 誠 안에 있습니다. 그렇기 때문에 마음은 몸의 생김과 놀이를 誠으로 이해해야 합니다.

이 이해의 진실을 주돈이는 다음과 같이 확인합니다.

[2-2-4『완역 성리대전』]

五常百行, 非誠, 非也, 邪暗塞也.

오상과 모든 행위는 성誠이 아니면 그릇되니, 사특하고 어둡고 막힌다.

우리의 몸과 자연의 모든 몸은 절대적으로 성(誠)에 의해서 생겨났습니다. 이 사실로부터 모든 몸의 놀이는 절대적으로 誠을 따릅니다. 즉, 순수지선으로 생겨난 몸은 당연히 순수지선으로 놀이합니다. 그렇기 때문에 마음이 몸의 생김과 놀이를 이해할 때, 마음은 절대적으로 몸의 생김과 놀이를 誠으로 이해해야 합니다. 이 이해를 형성하지 않고 감각적 현상으로 몸의 생김과 놀이를 이해하면, 그 이해는 사실상 "사특하고 어둡고 막힌다."는 비극에 떨어지고 맙니다. 따라서 배움에서 정말 중요한 것은 몸의 생김과 놀이를 誠으로 이해하는 마음입니다. 주자도 이 사실을 다음과 같이 확인합니다.

[2-2-4-1『완역 성리대전』]

朱子曰 : "誠苟不存, 則非正而邪, 非明而暗, 非達而塞. '學聖希天', 惟在存誠. 誠存, 則五常百行皆自然無一不備也."

주자가 말했다. "성誠이 진실로 보존되어 있지 않다면 바름이 아니라 사특함이고, 밝음이 아니라 어두움이며, 통달함이 아니라 막힘이다. '성인을 배우고 하늘을 바라는 것'은 오직 성을 보존하는데 달려 있다. 성이 보존되면 오상과 모든 행위가 다 자연히 조금도 갖추어지지 않음이 없게 된다."

성리학(性理學)이 심학(心學)으로 귀결되는 이유가 여기에 있습니다. [참고로 여기에서 '심학'은 양명(陽明)의 심학이 아닙니다.] 마음은 오직 성(誠)으로 몸의 생김과 놀이를 이해해야 합니다. 몸의 생김과 놀이를 관통하는 단 하나의 필연성이 誠이기 때문에 心學의 핵심은 몸의 생김과 놀이에서 誠을 이해하는 것입니다. 이 주제를 우리 자신의 몸으로 이해하면, 성정(性情)에 대한 이해가 됩니다.

[2-2-4-2 『완역 성리대전』]

"理一也, 以其實有, 故謂之誠. 以其體言, 則有仁·義·禮·智之實. 以其用言, 則有惻隱·羞惡·恭敬·是非之實. 故曰'五常百行, 非誠非也', 蓋無其實矣, 又安得有是名乎?"

(주자가 말했다.) "리理는 하나인데, 그 실제가 있기 때문에 성誠이라고 한다. 그 체體로 말하면 인·의·예·지의 실제가 있다. 그 용用으로 말하면 측은· 수오·공경·시비의 실제가 있다. 그러므로 '오상과 모든 행위는 성誠이 아니면 그릇된다.'라고 했으니, 그 실제가 없다면 또 어떻게 이 이름을 가질 수 있겠는가?"

성(誠)은 몸의 생김에도 존재하며, 몸의 놀이인 감정에도 존재합니다. 그렇기 때문에 마음은 誠으로 자기 몸의 본성과 몸의 변화인 감정을 이해해야 합니다.

몸으로 생겨난 것은 몸으로 살아갑니다. '몸-생김'은 반드시 '몸-놀이'입니다. 그런데 우리가 몸의 생김에 고유한 진실을 성(誠)으로 이해하는 한에서 생김의 몸으로 놀이한다는 공리(公理)에 근거하여 몸-생김의 誠은 영원의 필연성으로 몸-놀이의 본성으로 존재합니다. 이 말은 우리가 몸-놀이를 감정으로 정의하는 한에서 감정은 誠을 자신의 본성으로 갖는다는 뜻입니다. 이로부터 감정은 절대적으로 감각적 현상으로 이해될 수 없습니다. 감정은 자기 본성인 誠을 영원의 필연성으로 따라서 무한한 방식으로 무한하게 생겨납니다. 따라서 감정에 대한 타당한 인식은 지금 현실적으로 존재하는 감정에 나아가 그것이 자기 안에 품고 있는 誠을 이해하는 것입니다.

이 이해는 감정 밖으로 나아가는 것도 아니며 감정 밖에 있는 어떤 것을 감정의 원인으로 간주하는 것이 아닙니다. 감정은 영원의 필연성 안에서 誠을 본래부터 가지고 있습니다. 이 사실을 부정하는 감정은 영원으로부터 영원에 이르는 영원성 그 자체로 존재하지 않습니다. 그렇기 때문에 우리가 감정에 대해서 타당한 인식을 형성한다는 것은 감정에 나아가 그것이 자기 안에 가지고 있는 誠을 다시 확인하는 것일 뿐입니다. 여기에서 보면 성리학의 감정과학은 별도의 의지적 노력을 요구하지 않습니다.

[2-2-5『완역 성리대전』]

故誠則無事矣.

그러므로 성誠은 일삼음이 없다.

우리가 성(誠)에 근거하여 몸의 생김과 놀이를 이해하는 한에서 우리에게 학문은 지극히 자연스럽고 쉬운 것입니다. 학문이 즐거운 이유는 여기에 있습니다. 주자도 다음과 같이 학문의 즐거움을 확인합니다.

[2-2-5-0『완역 성리대전』]

誠則衆理自然無一不備, 不待思勉而從容中道矣.

성하면 많은 리理가 자연히 하나라도 갖추어지지 않음이 없으니, 생각하고 힘쓸 필요도 없이 조용히 도에 맞게 된다.

북계 진씨는 이 즐거움을 보다 적극적으로 이야기합니다.

[2-2-5-1『완역 성리대전』]

北溪陳氏曰 : "聖人純是天理, 合下無欠缺處, 渾然無變動, 徹內外本末皆是實, 無一毫之妄, 不待思而自得, 此生知也. 不待勉而自中, 此安行也. 且如人行路, 須是照管方行出路中. 不然, 則蹉向邊去. 聖人如不看路, 自然在路中間行, 所謂'從容無不中道', 此天道也."

북계 진씨(陳淳)가 말했다. "성인은 순수하게 천리이고, 원래 흠결이 없으며, 혼연히 변동이 없어서 안과 밖과 근본과 말단을 관통하여 다 참되고, 터럭만큼도 망령스러움이 없어서 생각할 필요도 없이 저절로 깨달으니, 이것이 태어나면서부터 아는 경지이다. 힘을 쓸 필요도 없이 저절로 (도에) 맞으니, 이것이 편안히 행하는 경지이다. 예컨대 사람이 길을 갈 때에는 반드시 살피고 나서야 비로소 길 가운데로 나아가야 하는 것과 같다. 그렇지 않으면 잘못하여 가장자리로 갈 것이다. 성인이 길을 보지 않고도 자연히 길 가운데로 가는 것과 같은 것이 이른바 '조용히 도에 맞지 않음이 없다.'라는 것이니, 이것이 천도이다."

강조를 위해서 인용문에 밑줄을 그었습니다. 핵심은 생지(生知)입니다. 선험분석의 성(誠)은 몸으로 생겨나 몸으로 살아가는 자연의 진실이며, 우리의 마음은 이 사실을 자기 사유의 자명함으로 명백하게 이해합니다. 이 이해를 '生知'라 합니다. 몸으로 생겨난(生) 우리는 몸의 생김에 고유한 진실인 誠을 이해(知)합니다. 그러므로 학문은 사유하는 즐거움 속에서 자연의 모든 몸의 생김과 놀이에 고유한 본성인 誠을 이해하는 기쁨입니다. 순수지선을 무한한 방식으로 무한하게 배워서 이해하는 것 이상의 기쁨은 없습니다. 성리학의 감정과학은 기쁨의 과학입니다.

5장. 믿음의 과학, 후험(情) · 분석(理)

4장의 핵심은 영원무한의 생명과 사랑인 '성'(誠)이 선험분석의 '성리'(性理)에 존재할 뿐만 아니라 후험분석의 '정리'(情理)에도 존재한다는 사실을 확인한 것입니다. 이것은 자연의 모든 것이 생김의 몸으로 살아간다(놀이한다)는 사실로부터 지극히 당연한 것입니다. 이 주장은 놀이하는 몸의 현상으로 놀이의 본성을 이해하는 것이 아닙니다. 몸-생김에 고유한 진실로서 誠을 우리가 이해하는 한에서 이 이해로부터 필연적으로 연역되는 몸-놀이에 고유한 진실입니다. 영원무한의 생명과 사랑으로 생겨났기 때문에 영원무한의 생명과 사랑으로 놀이하도록 영원의 필연성으로 결정되어 있습니다. 선험분석의 '誠'이 후험분석의 '誠'입니다.

우리가 생김과 놀이를 일관하는 誠의 진실을 위와 같이 이해하면, 놀이의 행복은 매우 간단합니다. 몸으로 살아가는 몸-놀이의 진실이 영원의 필연성으로 영원무한의 생명과 사랑으로 결정되어 있기 때문에, 몸-놀이의 행복은 몸-놀이 그 자체에 고유한 본성 안에서 무한한 방식으로 무한한 몸-놀이의 현상을 생명과 사랑으로 배워서 이해하는 것입니다. 이 이해를 확립하며 살아가면 몸-놀이는 절대적으로 생명과 사랑을 어기지 않습니다. 오히려 이 이해를 결여한 상태에서 몸-놀이를 행동 등과 같은 감각적 현상만으로 이해할 때, 생명과 사랑을 어기는 잘못을 하게 됩니다. 몸-놀이의 순수지선(純粹至善)을 이해할 수 없기 때문에 발생하는 비극입니다.

주돈이는 선험분석으로부터 연역되는 후험분석의 진리를 다음과 같이 확인합니다.

[2-2-6『완역 성리대전』]

至易而行難.

지극히 쉬우나 행하기는 어렵다.

몸으로 살아가는 몸-놀이는 너무나 쉽습니다. 너무나 쉽게 행복을 확인할 수 있습니다. 몸-생김의 진실인 성(誠)으로부터 몸-놀이의 진실 또한 誠이라는 사실을 분명하게 이해하면, 이 이해로부터 확립되는 몸-놀이를 향한 믿음은 순수지선입니다. 이 믿음으로 몸-놀이의 무한한 현상을 誠으로 배워서 이해하면, 몸-놀이에서의 행복은 지극히 쉽습니다. 그러나 몸-놀이의 행복을 몸-생김으로부터 연역되는 誠의 진실이 아닌 감각적 현상이나 행동으로 챙기려고 하면, 우리는 절대적으로 몸-놀이의 행복을 누릴 수가 없습니다. 왜냐하면 誠의 순수지선이 아니면 그 어느 것으로도 순수지선을 이해하거나 누릴 수가 없기 때문입니다.

이 사실을 주자도 다음과 같이 확인합니다.

[2-2-6-0『완역 성리대전』]

實理自然, 故易. 人僞奪之, 故難.

참된 이치는 저절로 그러하므로 쉽다. 인위는 그것을 빼앗으므로 어렵다.

성(誠)은 저절로 그러한 것입니다. 즉, 몸-생김에 고유한 본성으로서 誠은 저절로 그리고 지극히 당연하게 몸-놀이에 고유한 본성으로 존재합니다. 몸-놀이는 誠을 자신의 본성으로 받아서 오직 誠만을 따라서 무한한 현상으로 드러납니다. 이 사실에 대한 믿음이 분명할 때, 우리는 몸-놀이의 무한한 현상을 순수지선의 믿음 안에서 배움으로써 순수지선으로 확인합니다. 그러나 몸-놀이의 본성으로 존재하는 誠을 밖에서 구하려고 하면, 그 즉시 몸-놀이는 비극입니다. 왜냐하면 순수지선 안에서 순수지선으로 존재하는 몸-놀이의 무한성에 어둡기 때문입니다. 이미 순수지선으로 존재하는 것을 순수지선이 아닌 것으로 이해하는 그 순간이 결핍증에 빠지는 비극의 순간입니다.

몸으로 살아가는 후험(情)에 대한 이해를 분석(理)으로 이해함으로써 후험의 무한성을 순수지선으로 믿고 배울 때, 우리는 매순간 무한히 새로운 몸-놀이(情)를 그에 고유한 진실로서 순수지선으로 살아갈 수 있게 됩니다. 주돈이도 이 간단한 논리적 필연성을 다음과 같이 확인합니다.

> [2-2-7 『완역 성리대전』]
> 果而確, 無難焉.
> 과감하면서 확고하면 어려움이 없다.

몸의 생김과 놀이를 일관하는 성(誠)의 진실을 우리의 마음이 이해하는 한에서 우리의 마음은 믿음 안에서 배우는 논리 구조 속에 존재하기 때문에 자기이해의 필연성으로 살아갑니다. 왜냐하면 몸의 생김과 놀이가 영원의 필연성으로 誠 안에 존재하기 때문입니다. 이 사실로부터 몸-놀이는 어려운 것이 아니라 매 순간 최고의 축복입니다. 영원무한의 생명과 사랑이 몸으로 살아가는 우리의 세상 밖에 존재하지 않습니다. 몸으로 살아가는 지금 이 공간과 지금 이 시간이 곧 영원무한의 생명과 사랑이 자신의 진실을 무한한 방식으로 무한하게 드러내는 성스러운 순간입니다. 주자도 이 사실을 마음과 몸에서 찾습니다.

[2-2-7-0『완역 성리대전』]

果者, 陽之決; 確者, 陰之守. 決之勇, 守之固, 則人僞不能奪之矣.

과감함은 양의 결단이고, 확고함은 음의 지킴이다. 결단이 용감하고 지킴이 확고하면 인위가 그것을 빼앗을 수 없다.

양(陽)의 결단은 마음이며, 음(陰)의 지킴은 몸입니다. 마음이 자기 몸을 비롯해서 자연의 모든 몸을 성(誠) 안에서 믿고 배우는 한, 마음은 절대적으로 몸-놀이에 대한 자기이해의 순수지선을 따라서 자기 몸으로 살아갑니다. 자연의 모든 몸을 순수지선으로 배워서 이해합니다. 나쁜 것이 존재한다는 생각을 하지 않으며, 따라서 나쁜 것을 제거하겠다는 생각을 하지 않습니다. 이것으로 몸-놀이의 행복을 위한 방법은 매우 간단합니다. 몸-놀이를 감각적 현상이 아닌 그 자체에 고유한 본성으로 이해하는 것입니다. 주돈이는 다음과 같이 후험분석의 진실을 밝힙니다.

[2-2-8『완역 성리대전』]

故曰"一日克己復禮, 天下歸仁焉."

그러므로 "하루라도 사욕을 이겨 예禮로 돌아오면 세상 사람들이 인으로 귀의할 것이다."라고 하였다.

"一日"은 몸으로 살아가는 후험(後驗)입니다. 여기에서 사욕(私欲)을 이긴다는 것은 후험에 대한 이해를 감각적 현상이 아닌 그 자체의 본성으로 이해한다는 것을 뜻합니다. 그래서 "克己復禮"라고 말했습니다. 이렇게 몸-놀이의 진실을 이해하면, 후험의 세상은 영원의 필연성으로 순수지선의 세상입니다. "天下歸仁焉"이라고 말한 이유입니다. 참고로 계속해서 강조하고 있듯이, 지금 이 논의는 후험에 대한 감각적 경험이나 현상을 종합한 결과가 아닙니다. 선험분석에 대한 이해로부터 필연적으로 연역되는 후험의 진실, 즉 후험분석입니다. 주자도 다음과 같이 주장합니다.

[2-2-8-0『완역 성리대전』]

克去己私, 復由天理, 天下之至難也. 然其機可一日而決, 其效至於天下歸仁, 果確之無難如此.

자기의 사사로움을 이겨 천리로 돌아오는 것은 세상의 지극히 어려운 일이다. 그러나 그 시발점[機]은 하루에도 결단할 수 있고, 그 효과는 세상 사람들이 인으로 귀의하기에 이르니, 과감함과 확고함에 어려움이 없음이 이와 같다.

"자기의 사사로움을 이겨 천리로 돌아오는 것은 세상의 지극히 어려운 일이다."라고 했습니다. 이 말은 후험의 세상에서 행복은 어떤 몸의 기질이나 행동을 뜯어고치는 데에 있지 않다는 사실을 확인합니다. "그 시발점[機]은 하루에도 결단할 수 있고"라고 말했습니다. 후험의 무한한 현상을 그 자체의 본성으로 존재하는 성(誠)으로 이해하는 한에서 후험의 행복은 목적이 아니라 본래의 진실이라는 사실을 확인합니다. "감함과 확고함에 어려움이 없음이 이와 같다."라고 이어서 말한 까닭입니다. 이 주제는 "[2-2-7]"(106쪽.)에서 이미 다루었습니다.

6장. 후험(情) · 분석(理)에 존재하는 神

여기에서 우리는 지금까지 전개된 논의를 간단히 요약할 수 있습니다. 몸-생김의 본성 그 자체의 진실로 존재하는 성(誠)은 '몸의 생김으로 놀이한다.'는 공리(公理)에 근거하여 영원의 필연성으로 몸-놀이의 본성 그 자체의 진실로 존재합니다. 이 사실로부터 誠은 지극히 당연하며 지극히 자연스러운 것입니다. 의지력 등과 같은 것을 요구하지 않습니다. 본래부터 선험분석의 성리(性理)로 존재하며, 본래부터 후험분석의 정리(情理)로 존재합니다. 이러한 논리적 필연성을 주돈이는 다음과 같이 확인합니다.

[2-3-1『완역 성리대전』]
誠, 無爲
성은 작위가 없다.

이에 대한 주자의 설명을 참고할 필요가 있습니다.

[2-3-1-0『완역 성리대전』]
實理自然, 何爲之有? 卽太極也.
참된 이치는 저절로 그러한 것인데, 무슨 작위가 있겠는가? 바로 태극이다.

우리는 '誠=太極=理'의 등식을 확인했기 때문에[3장 참조.], 선험분석의 진실로 존재하는 誠은 저절로 후험분석의 진실로 존재합니다.

이 사실을 확인하는 것이 왜 중요할까요? 이 사실을 이해하지 않으면 그 즉시 몸-놀이는 감각적 현상으로 이해됩니다. 그 결과 몸-생김에 고유한 진실로서 순수지선(純粹至善)이 몸-놀이에 존재하지 않는다는 인식의 왜곡이 발생하게 됩니다. 몸-생김은 純粹至善인데, 몸-놀이는 純粹至善이 아니라는 것입니다. 왜 그렇게 되는 것이냐고 물어보면, 생겨난 몸의 기질(氣質)이 순수하지 않기 때문이라고 합니다. 몸-생김에 고유한 본성은 純粹至善이 확실한데 구체적으로 생겨난 몸의 기질은 純粹至善이 아니며, 이로부터 몸-놀이는 純粹至善으로 할 수 없다고 합니다. 이 지점에서 왜 그렇게 되는 것이냐고 물어보면, 몸-놀이의 현상을 보라고 합니다.

이 지점에서 갑자기 학문론은 전혀 뜻하지 않은 방향으로 전개됩니다. 학문의 핵심은 기질(氣質)의 불선(不善)이나 악(惡)을 제거하거나 고치는 '교기질'(矯氣質)이 됩니다. 몸-생김에 고유한 본성은 純粹至善이 확실하지만, 구체적으로 생겨난 몸의 氣質에는 不善이나 惡이 있을 수 있으며, 그렇기 때문에 그것의 놀이는 당연히 不善이나 惡을 한다는 것입니다. 이것을 근거로 학문의 핵심은 놀이에서 不善이나 惡을 절대로 하지 않는 것으로 드러나며, 이를 위한 방법이 不善이나 惡의 氣質을 가지고 있는 몸을 善으로 순화시키는 矯氣質입니다. 이때 비로소 이러한 주장을 하는 학문론의 실체가 드러나는데 그것은 '목적론' 또는 '의지론'입니다.

이 학문은 다음과 같이 주장합니다.

純粹至善에 도달하기 위하여 의지력을 기름으로써 不善 또는 惡의 氣質을 뜯어고치라. 不善과 惡을 하지 않을 때, 그때 비로소 純粹至善이 증명된다.

그러나 이러한 학문론은 성리학의 감정과학을 철저히 위배하는 모순이며 거짓말입니다. 왜냐하면 영원의 필연성으로 純粹至善 안에서 몸이 생겨나고 놀이하기 때문입니다. 이 사실을 이해할 때 몸-생김의 무한성으로서 氣質(자연을 구성하는 구체적인 몸)의 純粹至善을 이해할 수 있습니다. 동시에 몸-놀이의 무한성으로서 氣質(몸의 순간 변화로서 구체적인 감정)의 純粹至善을 이해할 수 있습니다. 여기에서 특히 중요한 것은 생겨난 몸으로 살아가는 '몸-놀이'입니다. 몸으로 살아가는 것은 몸의 순간 변화로 살아간다는 것을 뜻합니다. 감정과학은 이 순간 변화를 '감정'으로 정의합니다. 몸의 순간 변화로서 감정은 무한한 방식으로 무한하지만, 결국 좋다(善) 아니면 싫다(惡)입니다.

몸으로 생겨나서 몸으로 살아가는 우리가 몸의 순간 변화인 감정에 근거하여 우리 자신을 비롯해서 자연의 모든 것을 이해하면, 그것은 좋다(善) 아니면 싫다(惡)의 감정으로 수렴합니다. 이때 좋다고 판단한 것에 대해서 무슨 필연성으로 우리 몸의 순간 변화가 그러한 방식으로 이루어지는지, 다른 한편으로 싫다고 판단한 것에 대해서 무슨 필연성으로 우리 몸의 순간 변화가 그러한 방식으로 이루어지는 이해하는 것이 매우 중요합니다. 이 이해가 분명할 때, 선험분석의 성(誠)이 후험분석에도 존재하고 있다는 사실을 이해하게 됩니다. 영원의 필연성 안에서 몸의 순간 변화가 '좋음' 또는 '싫음'의 감정으로 변화하기 때문에 이러한 감정으로 존재하는 우리는 다시 우리 자신의 감정에 고유한 필연성을 배워서 이해해야 합니다.

이 이해를 감정과학은 '감정의 자기이해'라고 정의합니다. 이 이해가 분명할 때, 우리는 감정의 대상으로 존재하는 모든 것에 대해서 그것의 감각적 현상이 아닌 그 자체의 본성에 고유한 필연성으로 이해하게 됩니다. 우리가 이러한 방식으로 우리 자신의 감정 및 그 대상에 대해서 이해하는 한에서 우리는 그 어떤 것에 대해서 그 존재를 부정하지 않습니다. 왜냐하면 모든 것이 영원의 필연성에 의해서 존재하도록 결정되어 있다는 사실을 영원의 필연성으로 이해하기 때문입니다. 이 이해가 '誠=太極=理'를 향한 인식이며 동시에 믿음입니다. 따라서 우리가 이 이해로 살아가는 한에서 몸-놀이의 진실은 영원무한의 생명과 사랑입니다.

이상, 우리는 몸-놀이에서의 인식의 오류와 올바름에 대해서 논의하였습니다. 몸-놀이에 대한 이해를 감각적 현상으로 하게 되면, 뜻밖에 생김과 놀이를 기질(氣質)의 불선(不善)이나 악(惡)으로 잘못 이해하게 됩니다. 그 결과 학문은 뜻밖에 氣質을 뜯어고치는 것이 됩니다. 그러나 몸-놀이에 대한 이해를 그 자체에 고유한 본성의 필연성으로 이해하게 되면, 무한한 방식으로 무한히 생겨나는 氣質 및 그것의 놀이로서 氣質의 무한 변화를 순수지선(純粹至善)으로 이해하게 됩니다. 이 두 가지 이해는 우리에게 선택의 문제가 아닙니다. 왜냐하면 전자는 인식의 오류인 반면, 후자는 인식의 진실이기 때문입니다. 우리 자신의 몸에 근거하여 생각하면 쉽게 이해할 수 있습니다.

이제 우리에게 가장 중요한 것은 몸-놀이에 대한 참다운 인식에 있다는 것을 알 수 있습니다. 이 인식을 위해서 몸-생김에 대한 참다운 인식이 무엇인지 정리했습니다. 생겨난 몸은 그 즉시 자신의 몸으로 놀이합니다. 이 놀이를 순간 변화 또는 감정이라 부릅니다. 몸의 순간 변화를 주돈이는 '기'(幾)로 부르며, 그것의 가장 간단한 형식을 좋음과 싫음의 감정인 '선악'(善惡)으로 부릅니다.

[2-3-2『완역 성리대전』]
幾, 善惡.
낌새는 선과 악의 갈림이다.

이에 대한 주자의 설명이 매우 중요합니다.

[2-3-2-0『완역 성리대전』]
幾者, 動之微, 善惡之所由分也. 蓋動於人心之微, 則天理固當發見, 而人欲亦已萌乎其間矣. 此陰陽之象也.
낌새란 움직임이 미세한 것으로 선과 악이 그로부터 나누어진다. 사람 마음에서 움직인 미세한 것은 천리가 참으로 마땅히 발현하지만, 인욕도 이미 그 사이에서 싹튼다. 이것이 음양의 상象이다.

"움직임이 미세한 것"은 몸의 순간 변화를 뜻합니다. "선과 악이 그로부터 나누어진다."는 것은 몸의 순간 변화인 감정이 크게 좋음(善) 아니면 싫음(惡)으로 나누어진다는 것을 뜻합니다. 이 사실로부터 몸의 '순간 변화'로서 좋음 또는 싫음의 감정은 몸-생김에 고유한 본성으로서 성(誠)을 자기 본성의 필연성으로 갖습니다. 그러나 이때 마음이 자기 감정에 대한 이해를 본성의 필연성이 아닌 감각적 현상으로 잘못 이해하게 되면 그 순간이 사욕(私欲)이 싹트는 순간입니다. 불선(不善)이나 악(惡)의 몸-놀이가 존재한다는 인식의 오류가 그것입니다. 그래서 "사람 마음에서 움직인 미세한 것은 천리가 참으로 마땅히 발현하지만, 인욕도 이미 그 사이에서 싹튼다."라고 말했습니다.

이 지점에서 몸-놀이의 핵심은 엄밀히 말해서 무한한 방식으로 무하한 몸-놀이에 대한 타당한 이해를 형성하는 학문입니다. 이 사실을 주자도 다음과 같이 확인합니다.

[2-3-2-5 『완역 성리대전』]

"'誠無爲', 只是常存得這箇道理在這裏, 方始見得幾, 方始識得善惡. 若此心放而不存, 一向反覆顚錯了, 如何別認得善惡?" "濂溪言'誠無爲幾善惡', 纔誠便行其所無事, 而幾有善惡之分, 於此之時, 宜常窮察, 識得是非. 其初乃毫忽之微, 至其窮察之久, 漸見充越之大, 天然有箇道理開裂在這裏. 此幾微之決, 善惡之分也. 若於此分明, 則'物格而知至, 知至而意誠, 意誠而心正, 身修而家齊國治天下平', 如激'湍水'自已不得, 如'田單火牛'自止不住.

(주자가 말했다.) "'성은 작위가 없다.'라고 한 것은 다만 이 도리를 여기[마음]에서 항상 보존해야 비로소 낌새를 볼 수 있고, 비로소 선과 악을 알 수 있다는 것이다. 만약 이 마음이 풀어져서 보존하지 않으면 줄곧 뒤집히고 어지러워진 것이니, 어떻게 선과 악을 분별할 수 있겠는가?" "염계가 '성은 작위가 없고 낌새는 선과 악의 갈림이다.'라고 말한 것에서, 성은 바로 일삼음이 없는 것을 행하지만, 낌새에는 선과 악의 나눔이 있으니, 이때에 항상 궁구하고 살펴야 옳고 그름을 알 수 있다. 그 처음은 약간의 미세함이나, 오랫동안 궁구하고 살피면 차고 넘칠 정도로 큰 것을 점차 보게 되니, 자연스럽게 어떤 도리가 여기에서 갈라질 것이다. 이것은 미세한 낌새의 결단이고 선과 악의 나눔이다. 이것에 분명하면 '사물의 리理가 궁구된 뒤에 앎이 지극해지고, 앎이 지극한 뒤에 뜻이 진실하며, 뜻이 진실한 뒤에 마음이 바르게 되고, 몸이 닦여지며 집안이 가지런해지고 나라가 다스려지며 세상이 평화로워지게 되는 것'

이 마치 '세차게 흐르는 물'을 쳐서 거슬러 가게 해도 스스로 그칠 수 없는 것과 같고, '전단의 화우'가 저절로 멈출 수 없는 것과 같다."

위의 인용에서 가장 중요한 부분을 밑줄로 강조하였습니다. 몸의 순간 변화로서 몸-놀이는 감정에 대한 타당한 인식을 형성하는 자리라는 것을 알 수 있습니다. 몸-놀이의 후험은 그것의 무한한 현상을 종합하는 것이 아니라 그것의 무한한 현상에 고유한 본성의 필연성을 배워서 이해하는 것입니다. 그 결과 몸-놀이의 진실이 영원의 필연성 안에서 순수지선(純粹至善)이라는 사실을 확인하게 됩니다. 純粹至善의 다 좋은 세상을 누리며 경험하는 유일한 방법이 바로 여기에 있습니다.

우리의 마음이 이와 같은 방식으로 자신의 감정 및 그 대상을 이해할 때, 그러한 이해를 형성하는 마음을 '덕'(德)이라고 합니다. 그렇기 때문에 마음의 德은 오직 영원무한의 생명과 사랑으로 존재하며(仁) 오직 이 생명과 사랑만을 행복으로 추구합니다(義). 생김과 놀이에 고유한 논리적 필연성(禮)을 이해합니다(智). 그 결과 순수지선(純粹至善)을 향한 믿음 안에서 純粹至善을 배워서 純粹至善만을 지킵니다(信). 이 사실을 주돈이도 다음과 같이 확인합니다.

[2-3-3『완역 성리대전』]

德, 愛曰仁, 宜曰義 , 理曰禮 , 通曰智 , 守曰信.

덕에서 애愛를 인仁이라고 하고, 의宜를 의義라고 하며, 리理를 예禮라고 하고, 통通을 지智라고 하며, 수守를 신信이라고 한다.

위의 인용에서 덕(德)에 대한 주자의 설명을 경청해야 합니다.

[2-3-3-0『완역 성리대전』]

道之得於心者謂之德 , 其別有是五者之用, 而因以名其體焉, 卽五行之性也.

도가 마음에 얻어진 것을 덕이라고 하는데, 그 구별에는 다섯 가지의 용用이 있고, 이어서 그 체體를 이름한 것이 바로 오행의 성性이다.

德이 후험(감정)에 대한 마음의 분석적 이해, 즉 감정의 자기이해를 형성하는 마음이라는 사실을 확인할 수 있습니다. 이 마음은 인의예지신(仁義禮智信)으로 자신의 감정과 세상 모든 몸을 이해합니다. 우리에게 이 이해가 분명할 때, 성스러움은 몸으로 생겨나 몸으로 살아가는 우리 자신 및 자연의 진실임을 깨닫게 됩니다. 성스러움은 학문의 목적이 아니라 학문으로 이해하는 자연의 진실입니다. 이 진실을 향한 학문을 연마함으로써 몸의 순간 변화인 감정에 나아가 자연의 성스러움을 다시 확인하는 것이 현명함입니다. 이러한 논리적 구조를 주돈이도 다음과 같이 확인합니다.

[2-3-4『완역 성리대전』]

性焉安焉之謂聖.

성性대로 하고 편안하게 하는 것을 성聖이라고 한다.

[2-3-5『완역 성리대전』]

復焉執焉之謂賢.

회복하고 잡고 있는 것을 현賢이라고 한다.

위의 인용에 근거하여 자연의 진실이 성스러움(聖) 그 자체라는 것을 알 수 있으며, 성스러운 자연이 자신의 성스러움을 다시 확인하는 것이 현명함(賢)이라는 것을 알 수 있습니다. 그렇기 때문에 학문의 진실은 '이미 성스러움' 안에서 '다시 성스러움'을 배워서 '이미 성스러움'을 이해하는 것입니다. 즉, 무한한 방식으로 무한한 몸-놀이의 순간 변화인 감정의 무한 생성에 나아가 무한한 방식으로 무한한 감정의 필연성을 배워서 이해하는 것입니다. 그렇기 때문에 학문의 진실은 성인(聖人)으로 존재하는 우리 자신이 자연의 무한한 성스러움을 배움으로써 몸으로 살아가는 후험의 진실이 본래부터 순수지선(純粹至善)임을 확인하는 것입니다.

여기에서 우리는 신(神)의 진실을 이해하며, 몸-놀이의 후험에 대한 타당한 인식이 곧 神을 향한 지적인 사랑임을 확인할 수 있습니다. 神에 대한 주돈이의 정의는 다음과 같습니다.

> [2-3-6 『완역 성리대전』]
> 發微不可見, 充周不可窮之謂神.
> 발현한 것이 은미하여 볼 수 없고, 채워진 것이 두루 펼쳐져서 궁구할 수 없는 것을 신묘함[神]이라고 한다.

"발현한 것이 은미하여 볼 수 없고"는 몸의 순간 변화로서 기(幾) 또는 선악(善惡)의 감정입니다. "채워진 것이 두루 펼쳐져서"는 몸의 순간 변화가 무한한 방식으로 무한히 이루어진다는 것을 뜻합니다. 선악(善惡)의 감정으로부터 무한한 감정이 무한하게 생성됩니다. 바로 이 사실이 신(神)의 존재를 증명합니다. 몸-생김에 고유한 본성으로서 성(誠)이 몸-놀이의 순간 변화를 통해서 자신에게 고유한 영원무한의 생명과 사랑을 무한한 방식으로 무한하게 드러냅니다. 그렇기 때문에 몸의 순간 변화에 고유한 誠의 무한성은 우리가 알 수 없습니다. "궁구할 수 없는 것을 신묘함[神]이라고 한다."라고 말한 이유입니다. 따라서 神의 존재가 따로 없습니다. 감정의 무한성이 곧 神입니다.

그러나 우리가 절대 오해하거나 혼동해서는 안 되는 것이 있습니다. 감정의 무한성에서 감정에 대한 불가지(不可知)입니다. 우리가 어떤 감정을 느끼게 될지 알 수 없습니다. 왜냐하면 감정은 무한한 방식으로 무한하게 생겨나기 때문입니다. 이 사실이 神의 존재를 증명합니다. 그러나 이 불가지(不可知)를 근거로 우리가 神(감정)의 무한성 안에서 어떤 감정(神)을 구체적으로 느낄 때, 그에 대한 이해를 본성의 필연성으로 할 수 없다는 것은 절대적으로 있을 수 없습니다. 왜냐하면 우리가 몸-생김의 진실을 영원의 필연성으로 인식하는 한에서 몸-놀이의 진실 또한 영원의 필연성 안에서 무한한 방식으로 무한히 생성되기 때문입니다.

이 사실을 주자도 확인합니다.

[2-3-6-1『완역 성리대전』]

朱子曰 : "'發微不可見, 充周不可窮之謂神', 言其發也微妙而不可見, 其充也周徧而不可窮. '發'字'充'字就人看, 如'性焉安焉復焉執焉', 皆是人如此. '微不可見, 周不可窮', 却是理如此. 神只是聖之事. 非聖外又有一箇神, 別是箇地位也.

주자가 말했다. "'발현한 것이 은미하여 볼 수 없고, 채워진 것이 두루 펼쳐져서 궁구할 수 없는 것을 신묘함이라고 한다.'라는 것은 그 발현한 것이 은미하고 오묘하여 볼 수 없고, 그 채워진 것이 두루 펼쳐져서 궁구할 수 없음을 말한다. '발發'과 '충充'은 사람의 측면에서 본 것으로, '성性대로 하고 편안하게 하며 회복하고 잡아서 지킨다.'라는 것과 같은 것은 모두 사람이 이와 같다는 것이다. '은미하여 볼 수 없고, 두루 펼쳐져서 궁구할 수 없다.'라는 것은 곧 리理가 이와 같다는 것이다. 신묘함은 다만 성聖의 일이다. 성聖 이외에 또 하나의 신묘함이 있기에 별도의 경지가 되는 것은 아니다."

중요한 부분을 밑줄로 강조하였습니다. 理(誠=太極)의 무한성이 불가지(不可知)이지, 理(誠=太極) 그 자체는 不可知가 아닙니다. 不可知로 무한히 존재하는 神(감정)에 의해서 생겨나는 무한한 不可知의 감정을 최고의 완전성 그 자체로 이해하는 학문이 성리학의 감정과 학입니다. 중요한 것은 무한한 감정을 매 순간 느낄 때 그에 고유한 본성을 영원의 필연성으로 이해하는 것입니다. 이 이해로 살아가는 것이 인의(仁義)입니다. 감정의 무한성이 神의 존재를 증명하며, 감정의 무한성에 나아가 감정에 대한 타당한 인식을 형성하는 것이 神을 향한 지적인 사랑입니다.

7장. 神(신)의 본성으로 존재하는 사람의 성스러움

6장의 핵심 주제는 신(神)의 존재가 감정(情)으로 확인된다는 것입니다. 감정은 무한한 방식으로 무한하게 생성되고 변화하는데, 이 모든 변화는 몸-생김에 고유한 본성인 성(誠)을 영원의 필연성으로 따릅니다. 이러한 측면에서 감정은 무한이며 영원입니다. 영원하고 무한한 존재임과 동시에 오직 자기 본성의 필연성만을 따르는 자유의 존재를 신(神)으로 정의하는 한에서, 우리가 매순간 느끼거나 경험하는 감정이 신의 존재를 증명하는 성스러움 그 자체입니다. 이 사실을 주돈이도 다음과 같이 확인합니다.

[2-4-1『완역 성리대전』]

'寂然不動'者, 誠也; '感而遂通'者, 神也; 動而未形, 有無之間者, 幾也.

'고요하여 움직이지 않는' 것은 성誠이고, '감지하여 마침내 통하는' 것은 신묘함이며, 움직였으나 아직 드러나지 않아 있음과 없음 사이에 있는 것이 낌새이다.

성리학(性理學)은 "寂然不動('고요하여 움직이지 않는' 것)"을 '성'(性)으로 정의합니다. "感而遂通('감지하여 마침내 통하는' 것)"은 '정'(情)으로 정의합니다. 그런데 주돈이는 "寂然不動"을 '성'(誠)으로 "感而遂通"을 '신'(神)으로 정의합니다. 따라서 다음과 같은 등식이 성립하는 것을 확인할 수 있습니다.

寂然不動 = 性 = 誠

感而遂通 = 情 = 神

'誠 = 誠 = 太極 = 理'의 등식에 근거하면, 앞에서 잠깐 언급한 바와 같이 誠은 자기 본성 이외 절대적으로 다른 것에 의해서 변화하거나 활동하지 않습니다. 오직 자기 본성의 필연성만을 따라서 존재하며 활동하는 최고의 완전성 또는 최고의 자유입니다. 이러한 완전성과 자유를 '적연부동'(寂然不動)이라 합니다. 이것은 선험분석으로서 '성리'(性理)의 몸-생김이며, 동시에 후험분석으로서 '정리'(情理)의 몸-놀이입니다. 그렇기 때문에 몸-놀이는 자기 본성으로 존재하는 情理만을 따라서 무한한 방식으로 무한하게 변화합니다. 즉, 몸의 순간 변화는 외부 원인에 의해서 결정되는 것이 아니라 철저히 자기 본성인 情理를 따라서 이루어집니다.

몸의 순간 변화가 외부 원인이 아닌 자기 본성으로 존재하는 情理만을 따라서 이루어진다는 사실이 '감이수통'(感而遂通)입니다. 이것이 情이며 동시에 神입니다. 이러한 맥락에서 6장의 핵심 주제로서 '神의 존재를 증명하는 감정'을 이해할 수 있습니다. 다음으로, 6장에서 우리는 '기'(幾)에 대해서 논의하였습니다. 몸의 '순간 변화'가 幾입니다. 몸의 순간 변화이기 때문에 움직인 것(動)이 분명하나 이 움직임은 동시에 고정된 것(靜)이기 때문에 "動而未形, 有無之間者(움직였으나 아직 드러나지 않아 있음과 없음 사이에 있는 것)"입니다. 이것은 수학의 '미분'(微分)으로 쉽게 이해할 수 있습니다. 무한 변화 안에 있는 어느 한 변화의 순간 지점이 微分입니다. 움직임 안에 있으나 움직임이 전혀 없습니다. 그래서 "動而未形"입니다.

"動而未形"을 기(幾)로 정의할 경우, 幾는 몸의 순간 변화를 가리키는 미분(微分)입니다. 이 순간 변화에 대한 관념을 형성하는 것이 마음인데, 이때 관념은 구체적으로 '좋음'(善) 또는 '싫음'(惡)입니다. 이러한 이유로 몸의 순간 변화인 幾(善惡)로부터 무한한 방식으로 무한한 감정이 생성되며 변화합니다. 퇴계는 『성학십도』「6도」의 중도(中圖)에서 몸의 순간 변화인 '幾' 및 그것의 구체적인 관념으로서 '善惡'에 대해서 '취선악기'(就善惡幾)라고 했습니다. 그러나 몸의 순간 변화에 대한 마음의 관념이 善惡의 개념을 형성할 때, 우리의 마음이 그에 대한 이해를 본성의 필연성인 誠으로 확인하면, 그 결과는 절대적으로 순수지선입니다. 이 사실을 퇴계는 같은 곳에서 '취선악기(就善惡幾) 언선일변(言善一邊)'이라고 했습니다. 순수지선 이외 다른 변화는 없다는 뜻입니다.

몸의 순간 변화에 대해서 마음은 좋음(善) 또는 싫음(惡)으로 관념을 형성합니다. 이때, 마음이 순간 변화에 대한 이해를 성(誠)으로 확인하면, 순간 변화로서 善惡은 영원의 필연성으로 순수지선(純粹至善)입니다. 그러나 순간 변화에 고유한 본성인 성(誠)에 대해서 분명하게 이해하지 않으면, 그 즉시 좋은 것을 갖거나 나쁜 것을 부정하려는 전쟁이 발생합니다. 그렇기 때문에 몸의 순간 변화인 幾에 대한 올바른 인식을 확립하는지 여부에 따라서 행복과 불행이 결정된다는 것을 알 수 있습니다. 주자도 다음과 같이 이 논리를 확인합니다.

[2-4-1-0『완역 성리대전』]

本然而未發者, 實理之體; 善應而不測者, 實理之用. 動靜體用之間, 介然有頃之際, 實理發見之端, 而衆事吉凶之兆也.

본래 그러하여 아직 발현하지 않은 것은 참된 이치의 체體이고, 잘 응하므로 (다른 사람이) 헤아리지 못하는 것은 참된 이치의 용用이다. 움직임·고요함과 체體·용用 사이에서 잠시 기울어지는 즈음이 바로 참된 이치가 발현되는 단서이고, 모든 일에서 길吉과 흉凶이 나타나는 조짐이다.

몸-놀이의 순간 변화에도 체용(體用)의 구분이 분명합니다. 몸-생김 그 자체의 본성으로서 성(誠)이 몸-놀이의 본성으로 존재합니다. '體'가 몸-놀이의 후험에도 존재합니다. 이 본성으로부터 몸-놀이가 무한히 변화하기 때문에 이 변화를 '用'이라 합니다. '體用'의 논리적 필연성이 분명하기 때문에 몸의 무한 변화인 用은 "참된 이치가 발현되는 단서"입니다. 그리고 이 변화에 대한 인식의 여부에 따라서 행복과 불행이 나누어지기 때문에 몸-놀이의 體用이 "모든 일에서 길(吉)과 흉(凶)이 나타나는 조짐"입니다. 그렇기 때문에 앞에서 언급한 바와 같이 몸-놀이의 用을 몸-놀이의 體로 이해하는 것이 매우 중요합니다.

[2-4-1-2『완역 성리대전』]

"'幾善惡'者, 言衆人者也. '動而未形, 有無之間者', 言聖人毫釐發動處, 此理無不見. '寂然不動者, 誠也', 至其微動處, 即是幾. 幾在誠神之間."

(주자가 말했다.) "'낌새는 선과 악의 갈림이다.'라는 것은 보통 사람을 말한 것이다. '움직였으나 아직 드러나지 않아 있음과 없음 사이에 있는 것'이라는 것은 성인이 터럭만큼 발동하는 곳에서도 이 리理가 드러나지 않음이 없음을 말한다. '고요하여 움직이지 않는 것은 성이고', 그 은미하게 움직이는 곳에 이르는 것이 바로 낌새이다. 낌새는 성誠과 신묘함 사이에 있다."

성인과 보통 사람의 구분은 善惡으로 드러나는 몸의 순간 변화인 幾에 대한 참다운 인식에 있습니다. 몸의 순간 변화에 나아가 그에 고유한 본성의 필연성을 인식하면 순수지선을 이해하기 때문에 이 이해를 형성하는 사람이 성인(聖人)입니다. 반면, 이 이해를 결여함으로써 순수지선을 등짐과 동시에 몸의 순간 변화에 좋은 것과 나쁜 것이 섞여 있다고 잘못 생각하는 사람이 보통 사람입니다. 우리가 이렇게 성인과 보통 사람을 구분하게 되면, 정말 중요한 것은 聖人인지 여부가 아니라 몸의 순간 변화에 대한 이해를 그 자체의 본성인 誠으로 인식하는지 여부에 있습니다. 성리학의 감정과학이 몸으로 생겨나 몸으로 살아가는 사람에게 얼마나 중요한지 알 수 있습니다.

주자도 이 사실을 다음과 같이 확인합니다.

[2-4-1-3 『완역 성리대전』]

問 : "'誠·神·幾', 在學者則當如何?"

曰 : "隨處做工夫. 然本在誠, 著力在幾. 存主處是誠; 發用處是神. 幾則在二者之間, 幾最緊要."

물었다. "'성과 신묘함과 낌새'를 배우는 사람에게서는 마땅히 어떻게 해야 합니까?"

주자가 대답했다. "처한 곳에 따라 공부해야 한다. 그러나 근본은 성(誠)에 달려 있고, 힘을 쓰는 것은 낌새에 달려 있다. 주된 것을 보존하는 곳은 성이고, 용을 발현하는 곳은 신묘함이다. 낌새는 성과 신묘함 사이에 있으니, 낌새가 가장 중요하다."

주자는 "낌새는 성과 신묘함 사이에 있으니, 낌새가 가장 중요하다."라고 말했습니다. 몸-생김의 본성이 몸-놀이의 본성으로 존재하며 이 본성으로부터 몸-놀이는 무한한 방식으로 무한하게 생성되며 변화합니다. 이 모든 변화의 순간 변화를 '기'(幾)라고 정의합니다. 이 순간 변화는 좋음(善) 아니면 싫음(惡)입니다. 幾가 誠과 神 사이에 존재하는 이유이며, 幾에 대한 올바른 인식이 결국 誠과 神에 대한 참다운 인식인 이유입니다. 변화는 자기 본성의 필연성을 따르기 때문에 誠이며, 그러한 한에서 이 변화는 순수지선의 완전성이기 때문에 神입니다. 주돈이는 이러한 논리를 다음과 같이 확인합니다.

[2-4-2『완역 성리대전』]

誠精故明; 神應故妙; 幾微故幽.

성은 정밀하기 때문에 밝고, 신묘함은 감응하기 때문에 오묘하며, 낌새는 은미하기 때문에 그윽하다.

誠은 오로지 자기 본성의 필연성만을 따라서 존재하고 활동하기 때문에 오직 자기이해의 '자명'(自明)입니다. 이 본성으로부터 몸은 영원의 완전성 안에서 무한히 생겨나며 동시에 몸은 무한히 놀이합니다. 이것이 神의 감응입니다. 이 모든 변화 각각에 고유한 순간 변화가 幾입니다. 이것은 변화의 움직임이 분명하지만 동시에 그 어떤 변화가 없는 순간 변화의 고정됨이기 때문에 은미하고 그윽합니다. 이 개념을 쉽게 이해하는 방법은 수학의 미분(微分)에 있다고 앞에서 설명했습니다. 微分이란 무한 변화의 어느 한 지점의 순간 변화를 이해하는 수학입니다. 몸의 놀이를 幾로 이해하고 그에 대한 타당한 인식을 확립한다는 것은 몸의 무한 변화에 나아가 그 각각의 순간 변화에 대한 타당한 인식을 형성한다는 것입니다.

幾가 몸의 순간 변화라는 사실을 주자도 확인합니다.

[2-4-2-0『완역 성리대전』]

淸明在躬, 志氣如神, 精而明也. "不疾而速, 不行而至", 應而妙也. 理雖已萌, 事則未著, 微而幽也.

맑고 밝음이 몸에 있기에 뜻과 기운이 신묘한 듯하니, 정밀하고 밝아진다. "서두르지 않아도 빠르고, 가지 않아도 이르니" 감응하여 오묘해진다. 리理가 비록 이미 싹텄을지라도, 일이 아직 드러나지 않으니 은미하고 그윽하다.

"淸明在躬(맑고 밝음이 몸에 있기에)"라고 말했습니다. 결국 몸에 대한 올바른 인식이 성리학(性理學)의 핵심이며, 이 사실로부터 性理學은 몸의 순간 변화인 감정에 대한 타당한 인식을 형성하는 감정과학이 분명합니다.

그러므로 성인(聖人)은 우리 자신을 초월한 인간 또는 선택 받은 인간이 아닙니다. 자기 몸에 나아가 생김과 놀이를 일관하는 단 하나의 영원한 필연성인 성(誠)에 대한 자기 이해의 완전성에 근거하여 誠으로부터 몸의 생김과 놀이가 무한한 방식으로 무한히 이루어진다는 사실에 대한 믿음이 신(神)입니다. 이 믿음 안에서 몸의 순간 변화를 그 자체에 고유한 본성인 誠 안에서 인식함으로써 모든 변화가 최고의 완전성과 순수지선의 神 그 자체라는 사실을 이해하는 것이 기(幾)입니다. 그래서 聖人에 대한 주돈이의 다음과 같은 정의는 성리학의 감정과학에 근거하여 지극히 당연한 것입니다.

[2-4-3『완역 성리대전』]

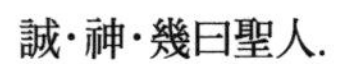
誠·神·幾曰聖人.

성하고 신묘하며 낌새를 아는 사람을 성인이라고 한다.

8장. 道德의 기원
도 덕

우리는 7장에 기초하여 인간의 도덕(道德)을 연구하는 윤리학의 핵심이 무엇인지 분명하게 제시할 수 있습니다. 윤리학은 절대적으로 목적론일 수 없습니다. 윤리학은 인간의 도덕을 어떤 궁극적인 수준이나 경지로 끌어 올리는 학문이 아닙니다. 인간의 진실이 본래부터 영원의 필연성으로 성인(聖人)이기 때문에 성스러운 인간이 자신의 성스러움을 자기 스스로 이해하도록 인도하는 학문이 참된 윤리학입니다. 주돈이도 道德의 진실을 다음과 같이 분명히 말합니다.

> [2-5-1『완역 성리대전』]
> 動而正曰道.
> 움직이되 바른 것을 도라고 한다.

> [2-5-2『완역 성리대전』]
> 用而和曰德.
> 작용하되 어울린 것을 덕이라고 한다.

영원의 필연성 안에서 성(誠)에 의해서 생겨나도록 결정된 우리의 몸입니다. 이 몸으로 살아가기 때문에 몸-놀이의 진실 또한 영원의 필연성으로 誠입니다. "움직이되 바른 것을 도"라고 말한 이유입니다. 몸-놀이는 본래부터 誠을 본성의 필연성으로 갖습니다. 그렇기 때문에 이 본성을 따라서 무한히 생겨나는 감정은 단 하나의 예외 없이 誠 안에 존재합니다. 이로부터 감정의 영원한 진실은 순수지선(純粹至善)입니다. "작용하되 어울린 것을 덕"이라고 말한 이유입니다. 이와 관련하여 주자의 설명을 참고할 필요가 있습니다.

> [2-5-2-0『완역 성리대전』]
>
> 用之所以和, 以其得道於身而無所待於外也.
>
> 작용이 어울린 까닭은 몸에 도를 얻어서 밖에 의지할 것이 없기 때문이다.

"몸에 도를 얻어서 밖에 의지할 것이 없기 때문이다."라고 말했습니다. 몸의 생김이 성(誠)이기 때문에 몸의 놀이도 誠을 본성으로 갖습니다. 이 사실로부터 몸의 순간 변화인 몸-놀이 또는 감정이 誠을 본성으로 갖는다는 것은 영원의 진실입니다. 그렇기 때문에 우리가 몸의 생김과 놀이에 일관하는 진리의 필연성으로서 誠을 이해하는 한에서 감정은 영원으로부터 영원에 이르는 영원성 그 자체로 순수지선 그 자체입니다. 이 지점에서 다시 강조해야 하는 것은 이 모든 논의는 후험의 경험이나 감각적 현상에 의존하는 것이 아니라 몸의 생김과 놀이를 일관하는 논리의 필연성인 誠에 기초한다는 사실입니다. 인식의 기초를 혼동해서는 안 됩니다.

몸-놀이의 감정을 순수지선으로 우리가 인식하면, 우리는 그 어떤 감정에 대해서도 함부로 하지 않습니다. 모든 감정은 순수지선 안에서 순수지선으로 생겨나고 변화하도록 영원성 그 자체로 결정되어 있습니다. 이 사실이 인(仁)입니다. 그렇기 때문에 모든 감정을 생명과 사랑으로 존경하는 것이 의(義)입니다. 인의(仁義)는 행동 강령이나 윤리 강령이 아닙니다. 감정의 진실로부터 연역되는 원칙입니다. 이 논리를 이해하는 것이 예(禮)이며, 그렇기 때문에 우리 인간의 지성은 이 논리를 향한 명백한 인식 이외 다른 것은 없습니다. 이것이 지(智)입니다. 이 학문의 논리에 기초하여 이 학문의 진리를 믿는 것이 신(信)입니다. 따라서 주돈이는 다음과 같이 주장합니다.

[2-5-3『완역 성리대전』]

匪仁 , 匪義 , 匪禮 , 匪智 , 匪信 , 悉邪矣.

인仁이 아니고, 의義가 아니며, 예禮가 아니고, 지智가 아니며, 신信이 아닌 것은 다 사특함이다.

인의예지신(仁義禮智信)이 아닌 몸-놀이는 참된 것이 아니며, 그러한 한에서 몸-놀이에서 행복의 유일한 방법은 감정에 나아가 仁義禮智信을 믿고 배우는 것입니다. 이러한 맥락에서 이 원칙을 어기는 몸-놀이는 당연히 우리를 불행으로 인도합니다. 사실상 '몸-놀이'가 아닙니다.

[2-5-4『완역 성리대전』]

邪動, 辱也. 甚焉 , 害也.

사특하게 움직이면 욕된다. 심하면 해롭다

그러므로 몸으로 생겨나서 몸으로 살아가는 우리가 행복을 누리는 방법은 감정을 느끼며 감정으로 살아가는 우리 자신의 진실, 즉 감정의 진실을 이해하는 것입니다. 지금 우리 자신이 느끼거나 경험하는 감정을 떠나서 우리 자신을 확인하는 방법은 없습니다. 감정이 곧 우리 자신의 존재를 규정합니다. 그렇기 때문에 감정에 대한 참다운 인식이 우리 자신에 대한 참다운 인식입니다. 그런데 성리학의 감정과학에 의하면 감정의 진실은 순수지선입니다. 따라서 우리가 매 순간 느끼거나 경험하는 감정에 나아가 그것의 순수지선을 확인하면, 그 즉시 우리는 최상의 행복을 누리게 됩니다.

[2-5-5『완역 성리대전』]
故君子愼動.
그러므로 군자는 움직임을 삼간다.

움직임을 삼간다는 것은 지금 이 순간 느끼거나 경험하는 감정에 대한 이해를 감각적 현상이 아닌 그 자체의 본성인 성(誠)으로 이해하는 것을 뜻합니다. 이 이해로부터 감정의 순수지선을 이해하며 누릴 수 있습니다. 군자가 움직임을 삼가는 이유입니다.

9장. 지금 우리의 성스러운 人生(인생)

8장에 근거하여 도덕(道德)의 진실이 무엇인지 이해하면, 몸으로 생겨나서 몸으로 살아가는 우리의 인생이 얼마나 성스러움으로 가득한 것인지 이해할 수 있게 됩니다. 지금 우리 자신의 몸은 인의예지신(仁義禮智信)으로 생겨나서 仁義禮智信으로 살아가도록 결정되어 있습니다. 이 진실이 명백하므로 몸으로 살아가면서 느끼는 무한한 감정을 仁義禮智信으로 이해함으로써 그 모든 감정의 순수지선(純粹至善)을 이해하는 것이 성리학의 감정과학입니다. 이 학문이 진실로 참된 학문입니다.

주돈이도 인간의 진실을 다음과 같이 밝혀줍니다.

[2-6-1『완역 성리대전』]

聖人之道, 仁義中正而已矣.

성인의 도는 인仁·의義·중中·정正일 뿐이다.

주돈이의 인의중정(仁義中正)에 관련하여 '中正'에 대한 주자의 설명을 참고해야 합니다.

[2-6-1-0『완역 성리대전』]

中即禮, 正即智,『圖解』備矣.

중中은 바로 예禮이고, 정正은 바로 지智이니,『태극도설해』에 갖추어졌다.

주자에 의하면 中正은 '禮智'입니다. 이에 근거하여 성인(聖人)의 도(道)로서 '仁義中正'은 '仁義禮智'입니다. 이 결론에 근거하여 聖人의 道와 우리 자신의 道가 본질에 관하여 서로 다르지 않는 사실을 확인할 수 있습니다. 이 사실로부터 가장 중요한 것은 우리 스스로 자신의 몸이 본래부터 가지고 있는 진실을 지키는 것입니다. 몸의 현상이나 행동 등과 같은 것으로 몸을 평가하거나 그것의 가치를 매기는 것이 아니라 몸 그 자체의 진실을 이해하고 지키는 것이 행복을 위한 유일한 방법입니다. 자기 스스로 자기 몸의 진실을 이해하고, 이 진실을 지키는 것이 학문의 핵심입니다.

[2-6-2『완역 성리대전』]
守之貴.
지키는 것이 귀하다.

주돈이의 주장에 대한 주자의 설명은 다음과 같습니다.

[2-6-2-0『완역 성리대전』]
天德在我, 何貴如之?
천덕이 나에게 있으니, 어떤 귀한 것이 이와 같겠는가?

"천덕이 나에게 있으니"라고 말했습니다. 이때 '나'는 누구일까요? 지금 우리 자신이 '나'와 무관한 것이라고 생각한다면, 이는 크게 생각을 잘못하는 것입니다. 지금 '나'의 진실이 영원무한의 생명과 사랑 그 자체인 '천'(天=太極=理=聖)에서 유래하는 도덕(道德)임을 반드시 알아야 합니다. 도덕이 우리 밖에 있지 않습니다. '나'의 존재가 이미 도덕입니다. 이 사실을 우리 스스로 지켜야 합니다. 이때 비로소 우리는 우리 자신을 향한 믿음 안에서 우리 자신을 배워서 자기답게 살 수 있습니다. 자기 진실에 대한 이해 안에서 자기 진실대로 살아가는 것이 진정으로 '나'답게 살아가는 행복의 인생입니다. 행동하는 지식인의 사명은 여기에 있습니다.

[2-6-3『완역 성리대전』]
行之利.
행하는 것이 이롭다.

주돈이는 이 대목에서 행동 철학자가 분명하며, 행동하는 지식인이 분명합니다. 그러나 그 전에 반드시 자기 스스로 자기의 진실을 이해함으로써 자기의 진실을 지키는 것이 매우 중요합니다. 이것이 분명할 때, 과감하게 행동하는 지식인으로서 삶을 살게 됩니다. 이때의 행동은 당연히 인의예지신(仁義禮智信) 안에 있습니다. 즉, 영원무한의 생명과 사랑을 믿고 지킴으로써 오직 영원무한의 생명과 사랑만으로 살아가게 됩니다. 이것이 참된 '행동'입니다. 주자도 같은 맥락에서 다음과 같이 설명합니다.

[2-6-3-0『완역 성리대전』]
順理而行, 何往不利?
리理대로 행하니, 어디에 간들 이롭지 않겠는가?

“리(理)대로 행하니”라고 말했습니다. 영원무한의 생명과 사랑 안에서 오직 영원무한의 생명과 사랑만으로 행동한다는 뜻입니다. 이렇게 믿고 배우는 삶 속에서 감정의 진실대로 살아가는 것이 최고의 완전성이며 순수지선입니다. 감정으로 살아가는 삶이 성인(聖人)의 삶이며, 이 삶 속에서 감정의 진실을 다시 이해하는 것이 성인의 학문입니다. 그 결과 성인은 감정의 진실대로 살아가는 성스러운 삶을 누리는 축복을 받습니다. 이 축복이 지금 우리의 진실임을 확인하기 위해서 우리는 성인의 학문을 연마합니다. 배우고 나면, 우리 인생이 성스러움 그 자체라는 것을 깨닫습니다. 주돈이는 다음과 같이 말합니다.

[2-6-4『완역 성리대전』]

廓之配天地.

확충하는 것이 천지에 짝하는 것이다.

여기에서 확충은 양의 개념이 아닙니다. 감정의 진실이 영원무한의 생명과 사랑이라는 사실, 즉 성(誠)에 의해서 감정이 생성되며 변화된다는 사실을 무한한 감정에 나아가 무한히 확인하는 것이 확충입니다.

감정을 느끼거나 경험하는 순간에 감정의 진실을 이해함으로써 감정의 진실대로 살아가는 것은 성스러움 그 자체입니다. 이 삶은 지극히 쉽고 간단하며 그러한 한에서 가장 아름다운 것입니다.

[2-6-5『완역 성리대전』]

豈不易簡, 豈爲難知?

어찌 쉽고 간단하지 않겠으며, 어찌 알기가 어렵겠는가?

주돈이의 주장에 대해서 주자는 다음과 같은 설명을 첨가합니다.

[2-6-5-0 『완역 성리대전』]

道體本然, 故易簡. 人所固有, 故易知.

도체가 본래 그러하므로 쉽고 간단하다. 사람이 본래부터 가지고 있으므로 알기가 쉽다.

"사람이 본래부터 가지고 있으므로 알기가 쉽다."라고 말합니다. 성인(聖人)의 진실은 어느 특정된 사람만이 가지고 있는 것이 아닙니다. 몸으로 생겨나서 몸으로 살아가는 사람이면 누구나 다 가지고 있는 것이 '성'(誠)이며 '태극'(太極 = 理 = 天)입니다. 성스러움 그 자체는 본래부터 자기에게 있습니다. 자기 스스로 가지고 있는 것을 없다고 주장하거나 알 수 없다고 생각한다면, 그것처럼 자기 스스로 자신을 불행의 한 가운데로 버리는 것이 없습니다. 이러한 안타까움을 주돈이는 다음과 같이 표현합니다.

[2-6-6 『완역 성리대전』]

不守不行不廓耳.

지키지 않고, 행하지 않으며, 넓히지 않을 뿐이다.

이 부분에 대한 주자의 설명을 참고하겠습니다.

[2-6-6-0 『완역 성리대전』]

言爲之則是，而嘆學者自失其幾也.

하면 되는데, 배우는 사람이 스스로 그 낌새를 잃는 것을 탄식하는 말이다.

자기 스스로 자기가 본래부터 영원의 필연성으로 가지고 있는 '성'(誠=聖)을 이해하면, 이 이해 안에서 자신의 무한 감정 및 세상 모든 것의 무한 감정을 순수지선으로 배워서 이해할 수 있습니다. 여기에는 '의지력'이 없습니다. '자기 이해'를 통해서 최상의 행복을 누리게 됩니다. 순수지선이 자신을 비롯해서 자연의 모든 것에 존재하고 있다는 사실을 이해하는 순간이 곧 자기 존재의 순수지선을 확인하는 성스러운 순간이기 때문에 그렇습니다. 자기 스스로 자기 감정의 진실만 분명히 이해하면, 그 즉시 최고의 행복을 자기가 가지고 있다는 사실을 깨닫게 됩니다. 이 사실에 눈을 감고 귀를 막으니, 이처럼 안타까운 것이 어디에 있을까요.

2부 후험(情)·분석(理)

: 통서의 감정과학

1장. 선험(性) · 분석(理)의 中
성 리 중

1부의 주된 논점은 공간과 시간 안에서 구체적으로 감각할 수 있는 몸에 나아가 생김 그 자체의 본성을 이해하는 것이었습니다. 이때 가장 중요한 것은 자기 몸의 생김에 대해서 자기 스스로 생각해 보는 것입니다. 자기 생각이 원인과 결과의 필연성에 입각하여 자기 몸의 생김에 대해서 자기 스스로 생각해 보면, 영원무한의 생명과 사랑으로 존재하는 '엄마의 몸'과 '아빠의 몸'이 영원의 사랑 안에서 단 하나의 몸으로 존재하고 있다는 사실을 최고의 완전성 그 자체로 명백하게 이해합니다. 이 이해가 선험분석(先驗分析)이며, 주돈이는 이것을 성(誠)으로 정의합니다. 이 이해가 분명할 때 誠 안에서 생겨난 몸(양태)이 순수지선(純粹至善)으로 존재함을 확인할 수 있습니다.

우리에게 이 확인이 분명할 때, 자연을 구성하는 모든 몸에 고유한 특질 또는 기질(氣質)에 대한 올바른 인식을 확립할 수 있습니다. 우리가 이 인식을 형성하기 이전까지 자연 안에는 좋은(善) 것과 나쁜(惡) 것이 있다고 생각했습니다. 이 생각에 의존함으로써 우리는 자연의 진실을 약육강식 또는 전쟁 상태로 바라봤습니다. 이 생각의 연장선에서 인간 세상을 약육강식의 전쟁 상태인 자연과 다르지 않다고 생각했습니다. 즉, 좋은(善) 氣質을 가진 인간과 나쁜(惡) 氣質을 가진 인간이 존재한다고 생각했습니다. 그 결과 인간 상호 간에 善惡의 대결이나 전쟁은 지극히 당연한 것으로 간주했습니다. 서로에 대해서 배우기보다는 서로를 부정하기에 급급했습니다.

그러나 우리가 몸의 생김에 나아가 선험분석을 명백하게 이해하게 되면, 우리에게는 한 가지 절대적인 믿음이 확립됩니다. 존재하는 모든 것은 영원무한의 생명과 사랑 그 자체인 순수지선(純粹至善)에 의해서 생겨나도록 영원의 필연성으로 결정되어 있다는 믿음이 우리에게 분명합니다. 이 믿음이 우리에게 확고부동하므로 어떤 몸의 생김에 대해서 우리가 좋음(善) 또는 나쁨(惡)으로 판단할 때, 우리는 반드시 純粹至善을 향한 믿음 안에서 좋은 것이 왜 좋은 것인지 그리고 나쁜 것이 왜 나쁜 것인지 그 각각에 고유한 본성의 필연성에 대해서 묻고 배우게 됩니다. 이 배움은 純粹至善을 확인할 때까지 절대 멈추지 않습니다.

우리가 이와 같이 純粹至善을 향한 믿음 안에서 모든 몸의 생김을 純粹至善으로 배워서 이해하는 한, 자연의 진실은 절대적으로 영원무한의 생명과 사랑입니다. 자연 및 인간 세상을 설명하는 '약육강식'이나 '전쟁 상태' 등과 같은 말들은 엄밀히 말해서 자연과 인간의 진실을 제대로 이해하지 못한 인식의 오류에서 기인합니다. 더 나아가 이 인식의 오류로 인해 인간은 더욱더 서로를 향해 거리낌 없이 전쟁을 선포하며 생명과 사랑을 거스르는 것에 대해서 일말의 부끄러움이나 반성을 하지 않게 됩니다. 따라서 이 모든 비극을 바로 잡는 유일한 방법은 인간의 행동을 도덕으로 교정하는 것이 아니라 자연과 인간에 대한 올바른 이해를 확립하는 것입니다.

이러한 맥락에서 주돈이는 다음과 같이 말합니다.

[2-7-1 『완역 성리대전』]

或問曰："曷爲天下善?"

曰："師."

曰："何謂也?"

曰："性者, 剛柔善惡中而已矣."

어떤 사람이 물었다. "무엇이 세상의 선입니까?"

주돈이가 대답했다. "스승[師]이다."

물었다. "무슨 말입니까?"

주돈이가 대답했다. "성性은 강선剛善, 유선柔善, 강악剛惡, 유악柔惡, 중中일 뿐이다."

주돈이에 의하면, 세상의 행복과 진실을 가르쳐주는 '스승'이 가장 중요한 세상의 선(善)입니다. 그렇다면 이 스승은 우리에게 무엇을 가르쳐주는 선생님일까요?

이미 앞에서 논의한 바와 같이 몸에 나아가 생김 그 자체에 고유한 본성을 우리에게 가르쳐줌으로써 자연의 모든 몸에 고유한 기질(氣質)이 영원의 필연성으로 존재하는 순수지선(純粹至善)에 의해서 생겨나도록 결정되어 있다는 사실로 우리의 인식을 인도하는 선생님이 참된 스승입니다. 이 스승은 절대적으로 자연과 인간의 진실을 약육강식이나 전쟁 상태 같은 말로 가르치지 않습니다. 자연을 구성하는 모든 몸들에 대해서 우리는 얼마든지 선악(善惡)으로 판단할 수 있지만, 그 모든 몸은 사실상 성(誠)의 純粹至善을 자기 존재에 고유한 본성으로 가지고 있다는 사실을 우리에게 가르쳐줍니다. 우리로 하여금 선험분석으로 선험종합의 순수지선을 이해하게 합니다.

선험종합(先驗綜合)은 자연을 구성하는 모든 몸에 고유한 氣質입니다. 이 氣質은 우리에게 좋음(善)과 나쁨(惡)으로 지각됩니다. 예를 들어서 코로나 바이러스도 자기 몸에 고유한 氣質을 가지고 생겨납니다. 자연의 다른 몸과 구분되는 코로나에 고유한 氣質이 先驗綜合입니다. 그런데 이 氣質은 뜻밖에 우리 몸을 아프게 하며 심지어 죽음에 이르게 합니다. 우리가 코로나의 氣質(先驗綜合)을 나쁜(惡) 것으로 규정하는 이유입니다. 그러나 이 경우 우리가 코로나에 대해서 전쟁을 선포하면, 그 즉시 우리는 코로나의 氣質 및 코로나와 교차하는 우리 몸의 氣質에 대해서 배우지 않게 됩니다. 오직 코로나의 氣質을 없애는데 급급하게 됩니다.

그러나 우리가 코로나의 氣質에 나아가 그 자체에 고유한 본성의 필연성을 이해하며, 더 나아가 그에 기초하여 코로나의 氣質과 우리 몸의 氣質의 교차에 고유한 본성의 필연성을 이해하게 되면, 그로부터 어떤 결과가 우리를 기다리고 있을까요? 이때 비로소 우리는 코로나의 氣質을 이해하기 때문에 코로나의 氣質로부터 우리 몸의 氣質을 보호할 수 있는 방법을 찾아낼 수 있습니다. 백신의 발견 같은 것이 가장 대표적입니다. 더 나아가 인류의 과학 기술은 오히려 코로나의 氣質 덕분에 보다 더 성숙하고 발전할 수 있습니다. 왜냐하면 영원무한의 생명과 사랑 안에서 영원무한으로 존재하는 생김의 필연성에 대해서 이전과는 보다 더 큰 이해를 형성하기 때문입니다.

이 모든 이해와 행복으로 인도하는 사람이 주돈이가 이해하는 선생님(스승)입니다. 우리가 이 논점을 이해하면, 위의 인용의 나머지 부분에 대해서 쉽게 이해할 수 있습니다.

> 물었다. "무슨 말입니까?"
> 주돈이가 대답했다. "성性은 강선剛善, 유선柔善, 강악剛惡, 유악柔

惡, 중中일 뿐이다."

자연을 구성하는 모든 몸에 고유한 기질(氣質) 또는 기질지성(氣質之性)이 위의 인용에 등장하는 '성'(性)입니다. 이 지점에서 우리는 성리학(性理學)의 체계 안에서 性에 대한 매우 중요한 구분이 존재하고 있다는 사실을 확인하게 됩니다. 性理學의 性理는 선험분석입니다. 즉, 자연의 모든 몸에 고유한 본성으로서 단 하나의 '성'(性=誠=太極=理)은 선험분석입니다. 이 '性'(理=太極=誠)에 의해서 자연의 모든 몸이 무한한 방식으로 무한하게 생겨납니다. 그리고 그렇게 생겨난 몸은 자기 몸에 고유한 氣質로 존재합니다. 하늘을 날아가는 새와 물속의 물고기를 생각해 보면 쉽게 이해할 수 있습니다. 이 氣質을 氣質之性이라 부릅니다.

이 氣質에 대해서 주돈이는 "강선(剛善), 유선(柔善), 강악(剛惡), 유악(柔惡)"으로 분류합니다. 요약하면, 氣質은 우리에게 좋은(善) 것 또는 나쁜(惡) 것으로 이해된다는 것입니다. 그러나 이것을 가지고 자연의 진실을 善惡이 뒤섞인 잡다함으로 이해해서는 안 됩니다. 우리가 선험분석, 즉 몸-생김에 고유한 그 자체의 본성을 이해하는 한에서 성리(性理)의 본연지성(本然之性)이 분명하기 때문에 이것에 의해서 생겨나는 氣質로서 성기(性氣)의 기질지성(氣質之性)은 영원의 필연성으로 性理의 純粹至善 안에 존재합니다. "강선(剛善), 유선(柔善), 강악(剛惡), 유악(柔惡)"으로 분류되는 자연의 모든 몸이 사실은 純粹至善 안에서 純粹至善으로 존재합니다. "중(中)일 뿐이다."라고 말한 이유입니다.

주자도 지금까지 전개된 논의와 일치되는 주장을 전개하고 있습니다.

[2-7-1-0『완역 성리대전』]

此所謂性，以氣稟而言也.

여기에서 말하는 성은 기품으로 말한 것이다.

주돈이가 "[2-7-1]"에서 언급한 성(性)은 기질(氣質) 또는 기질지성(氣質之性)입니다. 이에 기초하여 다음의 대화에 대해서 살펴보겠습니다.

[2-7-1-9『완역 성리대전』]

問 : "天地之性旣善，則氣稟之性如何不善?"

曰 : "理固無不善，纔賦於氣質，便有淸濁·偏正·剛柔·緩急之不同. 蓋氣强而理弱，管攝他不得."

물었다. "천지의 성이 이미 선하다면 기품의 성은 왜 선하지 않습니까?"

(주자가) 대답했다. "리는 본디 선하지 않음이 없으나, 막 기질을 부여받을 때에 맑음과 탁함·치우침과 바름·강함과 부드러움·느림과 급함 등의 다름이 있다. 기는 강하고 리는 약하여, (理가) 그것[氣]을 통솔할 수 없다."

기품(氣稟) 또는 기질(氣質)의 악(惡)에 대해서 주자는 "리는 본디 선하지 않음이 없으나"라고 말합니다. 절대적으로 존재하는 순수지선(純粹至善)이 존재한다는 사실을 명백히 합니다. 그 다음에 "막 기질을 부여받을 때에 맑음과 탁함·치우침과 바름·강함과 부드러움·느림과 급함 등의 다름이 있다."라고 말합니다. 중요한 것은 氣質은 '다름'으로 존재한다는 것입니다. 純粹至善에 의해서 純粹至善이 무한한 방식으로 무한하게 생겨납니다. 이 다름을 설명하는 것이 氣質 또는 氣質之性입니다. 그런데 "기는 강하고 리는 약하여, (理가) 그것[氣]을 통솔할 수 없다."라고 말합니다. 우리는 반드시 이 문장을 잘 이해해야 합니다. 매우 중요합니다.

기(氣)가 강하다는 것은 우리 자신을 비롯해서 자연의 모든 몸은 각자 자신만의 몸에 고유한 氣質로 생겨나서 살아간다는 사실을 뜻합니다. 인간의 몸 및 자연의 모든 몸은 단 하나의 실체로 존재하는 자기원인, 즉 영원무한의 생명과 사랑이 영원무한의 생명과 사랑으로 낳아준 것입니다. 그러나 현실적으로 존재하는 몸은 실체의 몸이 아니라 실체에 의해서 구체적인 양태로 생겨난 자신의 몸입니다. 자연의 모든 몸은 이처럼 실체가 양태로 드러난 무한한 氣質의 몸 가운데 하나인 자신만의 몸에 고유한 氣質로 살아갑니다. 그러한 한에서 순수지선(純粹至善)이 따로 없습니다. 지금 자기 몸에 고유한 氣質이 純粹至善입니다. 이 사실로 인해 氣가 강하다고 말합니다.

이점이 분명할 때, 리(理)가 약하다는 말이 무엇인지 알 수 있습니다. 理가 약하다는 것은 그것의 능력이나 힘을 두고 하는 말이 아닙니다. 理에 의해서 존재하도록 결정된 氣이기 때문에 오직 理만이 절대적이며 최고의 완전성 그 자체입니다. 그러나 바로 앞 문단에서 논의하였듯이 理에 의해서 생겨난 氣는 지금 현실적인 자신의 氣에서 理의 純粹至善을 이해하기 때문에 지금 자신의 氣質이 가장 아름다우며 가장 완전한 것입니다. 뜻밖에 자신의 氣質과 함께 자연의 모든 몸에 고유한 氣質이 理(性理의 本然之性)에 의해서 최고의 완전성으로 純粹至善 그 자체라는 사실에 어둡게 됩니다. 이러한 측면에서 "(理가) 그것[氣]을 통솔할 수 없다."라고 말했습니다.

그러나 우리가 지금 자신의 몸(氣質)에 나아가 생김에 고유한 본성의 필연성으로서 性理의 本然之性을 이해하고, 그에 기초하여 자기 氣質의 완전성 및 아름다움을 이해하면, 이 이해는 필연적으로 자연의 모든 몸에 고유한 氣質 및 氣質之性을 타당하게 이해하도록 인도합니다. 더 나아가 기질(氣質)이 뜻밖에 자기 본성의 필연성을 어기게 되는 원인을 이해하게 됩니다. 氣質 때문에 그런 비극이 발생하는 것이 아니라 자기 스스로 자기 氣質에 고유한 본성의 필연성을 이해하지 못하면 뜻밖에 氣質이 자기 본성을 어기는 잘못을 범하게 됩니다. 따라서 氣質 때문에 잘못을 하는 것이 아니라 氣質에 대한 타당한 이해를 결여한 결과 氣質의 진실을 어기는 잘못을 합니다.

주돈이는 氣質의 잘못에 대해서 다음과 같이 말합니다.

[2-7-2『완역 성리대전』]

不達. 曰 : "剛善, 爲義, 爲直, 爲斷, 爲嚴毅, 爲幹固. 惡, 爲猛, 爲隘, 爲彊梁. 柔善, 爲慈, 爲順, 爲巽. 惡, 爲懦弱, 爲無斷, 爲邪佞."

알지 못하겠습니다.

대답했다. "강선剛善은 의로움이 되고, 곧음이 되며, 단호함이 되고, 엄숙하고 굳셈이 되며, 확고함이 된다. 강악剛惡은 사나움이 되고, 편협함이 되며, 억셈이 된다. 유선柔善은 사랑함이 되고, 순함이 되며, 공손함이 된다. 유악柔惡은 나약함이 되고, 단호하지 못함이 되며, 사특하고 아첨함이 된다."

기질(氣質)이 자신을 이해할 때 자기 본성의 필연성인 '리'(理)에 기초하지 않으면, 결국 氣質은 자신만을 순수지선의 理로 인식하게 됩니다. 다른 氣質의 순수지선에 어둡게 되어, 뜻밖에 그것들의 순수지선에 대해서 묻고 배우지 않게 됩니다. 氣質이 자신의 순수지선을 이해할 때, 그 이해의 기초를 어디에 두느냐의 문제입니다. 자신의 氣質 아니면 자기 氣質의 理, 이 둘 가운데 하나입니다. 이것으로 氣質의 놀이가 잘못으로 흐르는 원인을 설명할 수 있습니다. 이 주제를 주자의 대화를 통해서 확인할 수 있습니다.

[2-7-2-2『완역 성리대전』]

問 : "人有剛柔過於中, 如何?"

曰 : "只爲見'彼善於此.' 剛果勝柔, 故一向剛. 周子曰'剛善, 爲義, 爲直, 爲斷, 爲嚴毅, 爲幹固. 惡爲猛, 爲隘, 爲彊梁', 須如此別方可."

問 : "何以制之使歸於善?"

曰 : "須於中求之."

물었다. "사람은 강함과 부드러움이 중中을 지나친 경우가 있는데, 왜 그렇습니까?"

주자가 대답했다. "다만 '저것이 이것보다 나은 것'을 보기 때문이다. 강함은 과연 부드러움을 이기므로 줄곧 강하려고 한다. 주자周子가 '강선剛善은 의로움이 되고, 곧음이 되며, 단호함이 되고, 엄숙하고 굳셈이 되며, 확고함이 된다. 강악剛惡은 사나움이 되고, 편협함이 되며, 억셈이 된다.'라고 말한 것은 반드시 이와 같이 분별해야 타당해질 수 있다."

물었다. "어떻게 그것을 제어해야 선으로 돌아오게 할 수 있습니까?"

주자가 대답했다. "반드시 중에서 그것을 구해야 한다."

중요한 부분을 밑줄로 강조하였습니다. 氣質을 제어하는 방법은 氣質을 뜯어 고치거나 억제하는 것이 아니라 氣質에 고유한 본성인 성리(性理)의 본연지성(本然之性)을 인식하는데 있습니다. 이 인식이 분명할 때 氣質은 자신의 진실을 영원무한의 생명과 사랑으로 이해하기 때문에 오직 이 진실 안에서 자신의 氣質로 자기답게 살아갈 수 있게 됩니다. 주자는 분명하게 말했습니다. 기(氣)를 제어하는 방법은 "반드시 중에서 그것을 구해야 한다."에 있습니다. 중(中)은 선험분석이며, 몸-생김에 고유한 본성의 필연성으로서 '성'(性=性理=誠 =太極)입니다.

그러므로 우리는 왜 1부가 선험분석(先驗分析)을 집중적으로 다루었는지 이해할 수 있습니다. 현실적으로 존재하는 것은 자연 안에 무한한 방식으로 무한하게 다른 기질(氣質)의 몸입니다. 이때 氣質에 고유한 본성으로서 先驗分析의 '성'(誠=性理=太極=中)이 분명하지 않으면 자연을 구성하는 모든 氣質의 몸이 영원의 필연성 안에서 순수지선(純粹至善)으로 존재하고 있다는 사실을 알 수 없게 됩니다. 우리 인간이 이 사실에 어둡게 되면 인간은 자연 및 인간 세상을 약육강식의 전쟁 상태로 잘못 이해하게 되며, 그 결과의 참혹함은 인류가 한 전쟁의 역사가 증명합니다. 先驗分析이 분명할 때 선험종합(先驗綜合)으로서 생겨난 모든 몸의 氣質의 純粹至善을 알 수 있습니다.

2장. 후험(情) · 분석(理)의 中節

우리 인간을 비롯해서 자연 만물은 자기 몸에 고유한 기질(氣質)로 자신의 삶을 살아갑니다. 氣質의 무한성을 기질지성(氣質之性) 또는 선험종합(先驗綜合)이라고 했습니다. 이렇게 생겨난 것은 자기의 몸으로 자기의 삶을 살아갑니다. 이 삶이 '후험'(後驗)입니다. 이로부터 後驗은 '선험종합'(氣質之性)의 '후험종합'(後驗綜合)입니다. 그러나 先驗綜合은 영원의 필연성 그 자체로 존재하는 순수지선(純粹至善)의 선험분석(先驗分析) 안에 존재합니다. 이 사실로부터 후험종합의 진실 또한 영원의 필연성으로 선험분석 안에 존재합니다. 선험종합의 후험종합이 선험분석 안에 존재한다는 사실로부터 선험분석이 후험에도 존재한다는 사실이 영원의 필연성으로 연역됩니다.

이 사실에 입각하여 선험분석이 후험분석으로 존재한다는 것은 지극히 당연합니다. 영원의 필연성으로 생겨난 몸은 영원의 필연성으로 놀이합니다. 자연의 모든 몸은 단 하나의 예외 없이 자기 존재에 고유한 본성의 필연성에 의해서 존재하도록 결정되었기 때문에, 오직 이 사실로부터 자연의 모든 몸은 자기 본성의 필연성을 따라서 놀이합니다. 그런데 우리는 몸의 놀이를 몸의 순간 변화인 '감정'으로 정의합니다. 이 정의에 기초하여 감정의 진실이 다음과 같이 분명하게 드러납니다. 자연의 모든 몸은 무한한 방식으로 무한하게 변화하지만, 그 모든 변화의 순간으로서 '감정'은 자기 몸의 생김에 고유한 본성의 필연성을 따릅니다.

선험분석(先驗分析)은 몸-생김에 고유한 영원의 필연성입니다. 이것을 성리(性理), 성(誠), 또는 태극(太極)으로 부릅니다. 이 본성을 따라서 자연 안에는 무한한 방식으로 무한한 몸이 생겨납니다. 몸-생김의 무한성 및 그 각각에 고유한 특성을 기질(氣質), 기질지성(氣質之性), 또는 성기(性氣)라고 부릅니다. 이것이 선험분석의 선험종합(先驗綜合)입니다. 우리가 선험종합에 대한 이해를 선험분석으로 확립하는 한에서 선험종합의 무한한 氣質은 본래부터 순수지선(純粹至善)입니다. 이 사실로부터 공간과 시간의 형식으로 펼쳐지는 선험종합의 현장인 후험종합(後驗綜合)도 당연히 순수지선을 본성으로 갖습니다. 후험종합에서 이 사실을 확인하는 것이 학문의 요점입니다.

이 학문을 통해서 자연을 구성하는 무한한 氣質의 무한한 삶인 '先驗'綜合(선험종합)의 '後驗'綜合(후험종합)이 진실로 순수지선이라는 사실을 배워서 이해하는 사람이 성인(聖人)입니다. 그렇기 때문에 인간의 성스러움을 뜻하는 성인(聖人)은 특별하게 선택받은 존재가 아닙니다. 다음의 논리를 반드시 확인해야 합니다.

先驗綜合에 대한 이해를 先驗分析으로 확립함으로써 先驗綜合의 삶인 後驗綜合이 영원의 필연성으로 純粹至善 안에서 純粹至善으로 결정되어 있다는 사실을 믿음으로 배우는 사람이 聖人입니다.

즉, 몸의 놀이는 영원의 필연성 안에서 순수지선으로 결정되어 있다는 사실을 배우는 사람이 聖人입니다.

이 지점에서 질문을 할 수 있습니다.

어떤 사람은 이 학문을 연마함으로써 聖人의 행복을 누리는 반면 또 다른 어떤 사람은 聖人의 행복을 누리지 못하게 되는데, 그것이 곧 선택 받은 사람과 받지 못한 사람의 차이가 아닌가?

'모두가 다 똑같은 사람이고 모두가 다 똑같은 聖人입니다.' 이 질문에 대한 聖人의 대답입니다. 그렇기 때문에 우리에게 정말 중요한 것은 사람을 '聖人의 행복을 누리는 사람'과 '누리지 못하는 사람'으로 구분하는 것이 아닙니다. 聖人이 알려주는 학문을 연마함으로써 聖人이 누리는 행복이 우리 자신의 본래 행복이라는 사실을 이해하고 이 행복을 매순간 즐기는 것이 진실로 중요합니다. 주돈이가 인간 세상에서 가장 귀하고 좋은 것이 무엇이냐는 질문에 대해서 '스승'이라고 대답한 이유가 여기에 있습니다. 聖人의 학문을 퇴계는 『성학십도』에서 성학(聖學)이라고 불렀습니다. 聖人의 학문을 배우고 나면, 자신과 세상 모든 것이 본래 聖人임을 깨닫습니다.

주돈이는 선험분석의 성(誠)을 중(中)이라고 부릅니다. 그런데 이미 논의한 바와 같이 선험분석은 후험분석으로 존재합니다. 즉, 성(誠) 또는 중(中)은 몸-놀이의 감정에 고유한 본성의 필연성으로 존재합니다. 이 사실을 다음과 같이 확인합니다.

[2-7-3 『완역 성리대전』]
惟中也者, 和也, 中節也, 天下之達道也, 聖人之事也.
오직 중은 어울림이고, 절도에 맞음이며, 세상의 달도達道[통용되는 도리]이니, 성인의 일이다.

"惟中也者, 和也, 中節也"라고 했습니다. 中은 몸의 순간 변화인 감정에 고유한 본성으로 존재합니다. 감정은 무한한 방식으로 무한하게 존재하지만, 그 모든 무한 생성 또는 무한 변화에 고유한 그 자체의 본성으로 존재합니다. 이 사실이 중절(中節)입니다. 선험분석인 中은 감정을 떠나 별도로 존재하지 않습니다. 자연 안에 존재하는 무한한 감정 각각(節)에 고유한 본성(中)으로 존재합니다. 그렇기 때문에 몸으로 살아가는 감정의 세상인 천하(天下)에 中이 존재합니다. 이 사실이 달도(達道)입니다. 여기에 성인(聖人)의 일이 있다고 했습니다. 자연의 무한 감정을 그 각각에 고유한 본성의 필연성으로 이해함으로써 모든 감정을 '순수지선'으로 이해하는 사람이 聖人입니다.

우리의 삶은 몸의 순간 변화인 감정을 느끼는 감정의 삶입니다. 몸으로 생겨나 몸으로 살아가는 자연의 모든 것은 이 방식으로 존재합니다. 몸으로 생겨나 몸으로 살아간다는 것은 몸의 변화를 경험하는 것인데, 우리가 몸의 변화를 감정으로 정의하는 한에서 자연의 모든 것이 감정으로 살아간다는 사실은 절대적인 진실입니다. 우리 인간의 삶도 이 진실을 벗어날 수 없습니다. 매순간 무한한 방식으로 무한히 변화하는 감정을 느낌으로써 감정으로 존재하며, 그렇기 때문에 감정으로 살아가는 것이 우리 인간의 인생입니다. 이러한 감정의 무한성에 대한 경험에 기초하여 우리는 공간과 시간의 관념을 만들어 냅니다. 공간과 시간의 관념은 감정에서 유래합니다.

이 사실로부터 학문이 실질적으로 이루어지는 현상은 매순간 새로운 감정의 세상입니다. 이 감정의 진실을 이해하기 위하여 몸을 생김과 놀이로 나눈 다음, 생김의 몸에 고유한 본성을 이해합니다. 이 이해로부터 몸의 놀이에 고유한 본성을 이해할 수 있습니다. 생김의 몸으로 놀이하기 때문에 그렇습니다. 이 이해가 분명할 때, 우리는 더 이상 몸의 놀이를 감각적 현상이나 외부적 원인에 의존하지 않습니다. 몸의 무한한 놀이인 감정 각각에 나아가 그에 고유한 본성의 필연성을 이해하며, 이 이해로부터 감정의 대상에 대해서도 그 감각적 현상이 아닌 그 자체에 고유한 본성의 필연성으로 이해하게 됩니다.

이 이해는 매순간 새로운 감정을 본성의 필연성으로 이해하는 것입니다. 그런데 앞에서 언급한 바와 같이 공간과 시간의 개념은 감정의 무한성에서 나온다고 했습니다. 그렇기 때문에 매순간 새로운 감정을 '시'(時)로 우리가 부를 수 있다면, 감정에 대한 타당한 인식을 형성함으로써 감정대로 살아가는 것을 '습'(習)이라 부를 수 있습니다. 이 정의에 입각하여 성리학(性理學)은 '시습'(時習)의 학문입니다. 그리고 이 학문은 매순간 감정의 새로움을 영원의 필연성 안에서 순수지선(純粹至善)으로 이해하는 것입니다. 이러한 측면에서 時習은 시중(時中)입니다. 왜냐하면 '선험분석'으로서 中은 무한한 감정 그 자체의 본성인 '후험분석'으로 존재하기 때문입니다.

이 사실을 주자도 다음과 같이 확인합니다.

[2-7-3-1 『완역 성리대전』]

朱子曰 : "'中也者, 和也, 天下之達道也', 別人不敢恁地說. '君子而時中', 便是恁地看."

주자가 말했다. "'중은 어울림이고 세상의 달도이다.'라고 하였으니,

다른 사람은 감히 이와 같이 말하지 않았다. '군자가 때에 맞게 한다.'라는 것을 바로 이와 같이 보았다."

"中也者, 和也"는 '선험분석'[中]이 '후험분석'[中和]으로 존재한다는 사실을 확인합니다. 그렇기 때문에 "君子而時中"은 지극히 당연합니다. 中은 공간과 시간을 초월한 개념이나 존재가 아닙니다. 공간과 시간으로 자신의 진실을 드러냅니다. 그리고 이때의 공간과 시간은 공허한 개념이 아니라 무한히 새로운 감정의 무한 양태입니다. 무한히 새로운 감정을 우리가 경험하지 못한다면, 우리는 그 어떤 공간과 시간의 개념을 형성하지 못합니다. 예를 들어서 몸의 무한 변화는 영원성 그 자체로 무한히 새로운데, 이 새로움은 이전의 새로움을 과거의 공간과 시간에 대한 '기억'이 됩니다. 이 기억과 현재의 무한 변화는 미래의 공간과 시간에 대한 감정으로 '상상'됩니다.

결국 감정으로 존재하는 것이 우리 자신이며, 이는 세상의 진실이기도 합니다. 그렇기 때문에 감정에 대한 올바른 이해가 우리 자신 및 자연에 대한 올바른 이해를 확립하는 방법입니다. 이 이해는 그 자체가 행복입니다. 왜냐하면 우리 자신 및 세상의 진실에 대해서 어두운 것 보다는 밝게 이해하는 것이 그 자체로 행복이기 때문입니다. 더 나아가 우리 자신과 세상의 진실을 순수지선으로 이해하는 것이 선악의 뒤섞임으로 이해하는 것 보다 더 큰 행복입니다. 이 행복이 분명하기 때문에 이 행복을 모르는 것은 그 자체로 악(惡)입니다. 따라서 자신과 세상에 가득한 감정에 대한 올바른 이해가 선(善)입니다.

주돈이는 이 사실을 다음과 같이 확인합니다.

[2-7-4 『완역 성리대전』]

故聖人立教, 俾人自易其惡, 自至其中而止矣.

그러므로 성인이 가르침을 세우는 것은 사람들에게 스스로 그 악을 바꾸어, 스스로 그 중에 이르러 머무르게 하려고 한 것이다.

매순간 새롭게 느끼거나 경험하는 감정을 그 자체의 본성으로 이해함으로써 그것의 순수지선을 이해하는 것이 중(中)에 머무는 것입니다.

3장. 감정과학의 論理(논리) 구조

감정과학(Science of Feelings)에 대한 정의는 다음과 같습니다.

감정과학이란, 무한한 방식으로 무한히 새로운 감정에 나아가 그 각각에 고유한 본성의 필연성을 이해함으로써 감정의 순수지선을 무한한 방식으로 무한하게 이해하는 학문이다.

우리는 감정과학에 입각하여 우리 자신의 무한한 감정 및 세상 모든 사람의 무한한 감정 더 나아가 자연의 모든 몸의 무한한 감정을 순수지선으로 이해할 수 있습니다. 여기에서 순수지선은 감각적 현상에 대한 판단이나 해석이 아닙니다. 몸의 순간 변화 또는 그 변화의 무한성이 절대적으로 영원의 필연성 안에 존재한다는 사실을 인식하는 것이 감정의 순수지선을 이해하는 것입니다. 어떤 구체적인 몸의 순간 변화가 영원의 필연성을 본성으로 갖는다면, 신에 고유한 완전성 및 순수지선의 존재는 그 변화에 의해서 증명됩니다. 왜냐하면 영원의 필연성에 의해서 몸의 순간 변화가 결정되어 있다면, 그 변화는 절대적 완전성을 본성으로 갖기 때문입니다.

몸의 순간 변화에 나아가 그것의 절대적인 완전성 및 아름다움을 이해하는 사람이 성스러운 사람, 즉 성인(聖人)입니다. 자기의 감정 및 세상 모든 것의 감정을 순수지선으로 이해하는 사람이 성스러운 사람입니다. 이 사실이 분명하다면, 엄밀히 말해서 聖人은 학문의 목적이 아니라 학문의 진실입니다. 聖人이 되는 것이 목적이 아니라 聖人의 학문을 연마함으로써 聖人이 응당 누리는 행복을 즐기는 것이 중요합니다. 聖人의 행복은 감정과학을 연마하는 것이므로 정말 중요한 것은 감정과학을 연마함으로써 감정의 진실을 이해하는 것입니다. 이 이해와 함께 자신의 진실을 聖人으로 이해하게 됩니다. 따라서 聖人은 사람에 대한 수준이나 경지가 절대 아닙니다.

이 지점에서 주돈이의 가르침을 경청할 필요가 있습니다.

> [2-7-5 『완역 성리대전』]
>
> 故先覺覺後覺, 闇者求於明, 而師道立矣.
>
> 그러므로 '먼저 깨달은 사람이 뒤에 깨닫는 사람을 깨닫게 하는 것'이니, 어두운 사람이 밝음에서 구해야 스승의 도[師道]가 세워진다.

"먼저 깨달은 사람"과 "뒤에 깨닫는 사람"의 구분이 중요하지 않습니다. 깨닫는 것이 중요합니다. 깨닫고 나면, 먼저와 나중의 구분은 아무 의미가 없습니다. 왜냐하면 깨달음의 핵심은 영원의 필연성을 인식하는 것이기 때문입니다. 영원 안에서 먼저와 나중의 구분은 영원을 즐기는 것일 뿐입니다. 또한 우리는 이 논점을 감정과학의 논리로 이해할 수 있습니다. 선각(先覺)은 선험분석에 대한 이해이며, 후각(後覺)은 선험분석에 기초하여 후험분석을 이해하는 것입니다. 무한한 새로움으로 펼쳐지는 감정에 대한 이해를 본성의 필연성으로 인식하기 위해서는 先覺과 後覺의 구분 및 이 둘 사이의 논리적 선후(先後)가 분명해야 합니다. 이것이 감정과학의 논리 구조입니다.

감정과학의 논리 구조에 의해서 비로소 우리는 감정을 느끼며 감정으로 살아가는 세상을 순수지선으로 이해할 수 있습니다. 이 이해로부터 세상은 생명과 사랑을 영원무한의 필연성으로 무한히 증진할 수 있습니다. 문명의 지속과 번영을 위한 유일한 방법이 바로 여기에 있습니다.

[2-7-6『완역 성리대전』]

師道立, 則善人多; 善人多, 則朝廷正而天下治矣.

스승의 도가 세워지면 선한 사람이 많아지고, 선한 사람이 많아지면 조정이 바르게 되고 세상이 다스려진다.

주돈이가 말한 '스승의 도'는 감정과학입니다. 이 학문을 연마하는 사람은 성인(聖人)으로 존재하며 자연 전체를 순수지선으로 이해합니다. 우리가 이러한 방식으로 존재하며 살아가면, 세상의 행복은 저절로 이루어집니다. 이 사실을 주자도 다음과 같이 확인합니다.

[2-7-6-0『완역 성리대전』]

此所以爲天下善也.

이것이 세상을 선하게 하는 것이다.

4장. 뉘우치며 사는 성스러운 幸福(행복)

감정과학의 논리 구조에 근거하면 인간의 행복은 감정에 대한 타당한 인식을 형성하는 것입니다. 감정에 대한 이해를 감정의 감각적 현상에 의존하거나 감정 밖 어떤 외부 원인에 의존하는 것은 감정에 대한 타당한 인식이 아닙니다. 감정에 대한 타당한 인식은 감정이 자기 존재에 관하여 본래부터 자기 안에 가지고 있는 본성의 필연성에 기초하는 것입니다. 이 이해가 아니면 감정은 얼마든지 우연성이나 가능성으로 잘못 이해됩니다. 현실적으로 존재하는 감정을 두고 우리가 '지금 느끼는 감정과 다른 방식 또는 다른 모습으로 존재할 수 있다.'는 생각을 하게 되면, 이로부터 그 감정은 자기 존재를 부정당하게 됩니다. 사실상 감정의 순수지선을 부정하는 것입니다.

그런데 우리의 삶을 돌이켜 보면, 우리는 너무나 쉽게 감정을 우연성이나 가능성으로 바라볼 때가 허다합니다. 우리 스스로 자신의 감정을 우연성으로 생각할 때가 많고, 그만큼 다른 이의 감정에 대해서도 우연성으로 생각할 때가 많습니다. 그런데 그 결과는 항상 불행입니다. 절대적으로 행복으로 이어지지 않습니다. 아주 간단한 예로 우리 스스로 자신을 심각하게 자책하거나 심지어 자살을 결심할 때에는 우리 자신의 감정 및 그에 따른 행동을 우연성으로 파악할 때입니다. 감정에 대한 이해를 우연성으로 형성하기 시작하면, 그에 따라서 전개된 행동도 우연성으로 이해됩니다. 다른 이의 감정 및 행동도 이러한 방식으로 하면 폭력과 살인이 따라옵니다.

그러나 우리 스스로 자신의 감정을 영원의 필연성으로 인식함으로써 감정의 존재를 영원의 필연성으로 이해하면, 뜻밖에 이 이해는 운명론이나 자포자기가 아닌 생명과 사랑으로 감정을 확인합니다. 이러한 이해는 우리 스스로 자신에 대한 타당한 인식을 형성하도록 인도하며, 그 자체가 이미 능동의 완전성입니다. 이러한 정신력은 우리와 다른 방식으로 존재하는 감정에 대해서도 타당한 인식을 형성하도록 인도합니다. 우리와 다른 방식으로 느끼며 존재하는 감정을 감각적 현상으로 해석하며 판단하지 않고, 그에 고유한 본성의 필연성을 영원성으로 인식합니다. 이 인식으로 인해 우리 자신의 감정 및 다른 이의 감정을 생명과 사랑으로 확인하게 됩니다.

우리의 욕망은 행복을 추구합니다. 생명과 사랑이 행복입니다. 생명과 사랑을 어기거나 부정하는 것은 결코 행복이 아닙니다. 그렇기 때문에 이러한 욕망의 이성에 근거하여 우리가 감정과학을 연마하기를 욕망하는 것은 지극히 당연합니다. 왜냐하면 오직 감정과학만이 무한한 방식으로 무한하게 존재하는 감정의 순수지선을 단 하나의 예외 없이 절대적으로 확인하기 때문입니다. 이러한 맥락에서 우리 인간의 잘못은 행동에 있는 것이 아니라 인식의 오류에 있습니다. 인식의 오류는 감정에 대한 이해를 그에 고유한 본성의 필연성으로 인식하지 않는 것입니다. 그래서 주돈이는 인간의 불행에 대해서 다음과 같이 말합니다.

[2-8-1『완역 성리대전』]
人之生 , 不幸不聞過; 大不幸無恥.
사람의 삶에서 불행은 허물을 듣지 못하는 것이고, 큰 불행은 부끄러워함이 없는 것이다.

허물은 감정과학으로 이해하는 감정의 진실에 대해서 생각하지 않고 그로 인해 배우지 않는 것입니다. 오직 이 배움만이 감정의 순수지선과 아름다움을 확인할 수 있는 방법입니다. 이 진리가 욕망의 이성에게 진리의 필연성으로 명백합니다. 그렇기 때문에 감정의 순수지선에 어두운 상태에서 감정의 선악(善惡)을 판단하는 것은 그 자체가 부끄러운 것입니다. 이 부끄러움에 대해서 자기 스스로 경청하지 못하면, 종국에 자기를 기다리고 있는 것은 불행입니다. 순수지선을 인식함으로써 감정으로 살아가는 세상의 진실을 최고의 완전성으로 즐기는 방법이 있습니다. 따라서 이 방법에 어두운 것은 그 자체로 이미 불행입니다.

이로부터 행복을 위한 방법은 분명합니다.

[2-8-2『완역 성리대전』]

必有恥，則可教; 聞過，則可賢.

반드시 부끄러워함이 있으면 가르칠 수 있고, 허물을 들으면 현명해질 수 있다.

인간이 부끄러움을 느끼는 이유는 간단합니다. 자기 스스로 자신의 순수지선을 몰라서 자신을 순수지선으로 이해하지 않으면, 그 즉시 느끼는 것이 '부끄러움'이라는 감정입니다. 예를 들어서 어떤 모임에 나가야 하는데 좋은 옷이 없다고 상상해 봅시다. 이때 우리는 부끄러움을 느끼게 되는데, 그 이유가 좋은 옷이 없기 때문에 느끼는 것인지, 아니면 자신의 존재를 좋은 옷으로 포장해야 자신의 아름다움을 확인할 수 있다는 착각 때문에 느끼는 것인지 우리 스스로 생각해야 합니다. 우리 자신의 존재 자체가 소중하기 때문에 좋은 옷을 입습니다. 그러나 좋은 옷이 우리 자신의 존재를 결정하지 않습니다. 이 순서에 대해서 우리가 생각할 필요가 있습니다.

진짜 부끄러움은 몸으로 살아가는 우리 자신이 자기 몸의 진실에 어둡게 될 때, 그리고 그로 인하여 자신의 자기 존재의 행복을 몸 밖에서 구할 때, 그때 비로소 느끼는 몸의 순간 변화입니다. 마음이 자기 몸을 초라한 것으로 생각할 때, 그와 동시에 몸은 순간 변화함으로써 자기 생각에 대해서 부끄러움을 느낍니다. 왜냐하면 몸은 영원으로부터 영원에 이르는 영원성 그 자체로 순수지선의 최고의 완전성이며 동시에 최고의 아름다움이기 때문입니다. 이 사실을 몸을 향한 생각이 부정할 때, 몸은 자기 스스로 변화함으로써 마음으로 하여금 부끄러움을 느끼게 합니다. 마음이 자기 몸에 대해서 생각을 잘못 하고 있다는 것입니다.

그러므로 부끄러움에 대한 주자의 설명은 21세기 현대 인류에게 매우 중요합니다.

[2-8-2-1『완역 성리대전』]

朱子曰 : "'人之生不幸不聞過, 大不幸無恥', 此兩句是一項事. 知恥是由內心以生, 聞過是得之於外. 人須知恥, 方能聞過而改, 故恥爲重."

주자가 말했다. "'사람의 삶에서 불행은 허물을 듣지 못하는 것이고, 큰 불행은 부끄러워함이 없는 것이다.'라고 하는 이 두 구절은 하나의 일이다. 부끄러워함을 아는 것은 속마음으로부터 생겨나는 것이고, 허물을 듣는 것은 밖에서 얻는 것이다. 사람은 반드시 부끄러워함을 알아야 비로소 허물을 듣고 고칠 수 있으므로 부끄러워함을 중히 여긴다."

마음이 자기 몸에 대해서 잘못 생각하면 그 즉시 몸은 순간 변화함으로써 부끄러움으로 존재합니다. 그 즉시 마음은 몸의 순간 변화에 대한 관념을 형성함으로서 부끄러움을 느낍니다. 마음이 이 감정에 나아가 자기 스스로 생각하며 다시 자기 몸에 대해서 배워서 올바르게 이해하면, 마음은 더 이상 자기 몸을 함부로 하거나 부끄럽게 생각하지 않게 됩니다. 궁극적으로 자신의 몸을 비롯해서 세상의 모든 몸을 순수지선으로 이해하며, 감정에 대해서도 당연히 같은 방식으로 이해를 형성합니다. 그러므로 참된 행복은 몸으로 살아가는 우리가 자기 스스로 몸의 진실을 이해함과 동시에 서로에게 몸의 진실을 알려주는 것입니다.

5장. 감정과학의 方法(방법)

4장에서 우리가 중점적으로 논의한 것은 마음의 생각입니다. 몸은 우리가 전혀 걱정할 필요가 없습니다. 몸은 철두철미 영원의 필연성 안에서 생겨나며 놀이합니다. 이 진실을 어기며 존재하거나 활동하는 몸은 절대적으로 없습니다. 문제는 몸에 대한 마음의 생각에 있습니다. 마음이 자기 몸의 생김과 놀이에 대해서 감각적 현상으로 이해하면, 그 즉시 마음은 자기 몸의 생김과 놀이에 대한 이해를 그 자체의 영원한 본성이 아닌 감각적 현상으로 해석합니다. 그 결과 몸의 생김과 놀이를 우연성이나 가능성으로 판단하며, 그로 인해 영원의 필연성 안에서 순수지선으로 존재하는 몸의 생김과 놀이를 선악(善惡)으로 판단합니다.

우리는 몸으로 살아가지만, 동시에 생각하는 마음으로 살아갑니다. 그리고 마음은 무엇보다도 자기 몸에 대한 생각으로 존재합니다. 보다 더 정확히 말하자면, 몸의 순간 변화에 대한 관념을 지각함으로써 마음은 자신의 현실적 존재를 확인합니다. 아주 간단한 예로 몸의 순간 변화가 배고픔의 감정이라면, 마음도 자신의 생각으로 자기 스스로 그에 대한 관념을 형성하며 그것으로 자신의 현실적 존재를 확인합니다. 그렇기 때문에 어느 경우이든 생각하는 마음이 우리 자신을 이해함에 있어서 매우 중요합니다. 그런데 문제는 생각이 몸 또는 감정을 감각적 현상에 의존하는 것입니다. 마음이 이 방식으로 생각하면 절대적으로 순수지선을 이해할 수 없습니다. 자기 생각의 본성을 따라서 형성하는 자기이해의 자명(自明)이 행복의 방법입니다.

'마음'은 생각하는 것입니다. 이때의 생각은 당연히 자기 존재보다 앞선 '생각하는 마음'에 의해서 생각하도록 결정된 것입니다. 같은 방식으로 그 생각은 당연히 자기 존재보다 앞선 '생각하는 마음'에 의해서 생각하도록 결정됩니다. 이렇게 지금 우리 자신의 생각하는 마음에 나아가 우리 마음이 스스로 생각해 보면, 생각의 본성은 인과의 필연성 안에 있습니다. 우리의 생각은 우연성이나 가능성이 아닌 영원의 필연성 안에서 영원의 필연성을 생각하고 이해하도록 영원성 그 자체로 결정되어 있습니다. 이 생각의 진실이 마음의 본성 및 기능으로 본래부터 존재하기 때문에 생각하는 마음이 자기 몸을 비롯해서 세상의 모든 몸의 생김 및 놀이를 인과의 영원한 필연성으로 이해하는 것은 지극히 당연합니다.

이처럼 생각하는 마음에 고유한 본성은 인과의 필연성에 근거하여 자신을 이해하며 동시에 자신의 몸을 영원한 인과의 필연성으로 이해하는 것입니다. 이 이해가 분명하다면, 생각하는 마음이 자신 및 자신의 몸을 우연성이나 가능성으로 이해하는 것은 엄밀히 말해서 자기 본성에 고유한 필연성을 어기는 것입니다. 이 지점에서 우리는 왜 그런 일이 발생하는지 질문을 해야 하는데, 이 질문에 대한 답은 매우 간단합니다. 그런 일이 발생할 이유가 영원의 필연성으로 없는데, 그런 일이 발생합니다. 그렇기 때문에 생각하는 마음은 인식의 오류로부터 자신을 구원할 수 있는 능력을 본래부터 자기 안에 가지고 있습니다. 즉, 자기 스스로 생각하는 것이 방법입니다.

감정과학은 생각하는 마음에 대한 믿음이 분명합니다. 생각하는 마음은 가능성이나 우연성 같은 것으로 무질서하게 생각하는 것이 아니라 인과의 필연성을 영원의 필연성으로 확인하는 능력을 자기 본성으로 가지고 있습니다. 이 믿음이 분명하기 때문에 감정과학은 생각하는 마음에 대한 믿음을 학문의 핵심 방법으로 제시합니다. 그래서 주돈이도 다음과 같이 말합니다.

[2-9-1『완역 성리대전』]
「洪範」曰. "思曰睿, 睿作聖."
「홍범」에서 말했다. "생각함은 슬기로움이니, 슬기로움은 성聖을 만든다."

감정과학을 연마하는 성인(聖人)은 몸의 생김과 놀이를 이해함에 있어서 자신의 생각하는 마음을 방법으로 삼습니다. 이 마음에 대한 주자의 주석을 참고할 필요가 있습니다.

[2-9-1-0『완역 성리대전』]
睿, 通也.
슬기로움[睿]은 통함이다.

"睿, 通也."입니다. 매우 중요합니다. 지금 우리가 공부하고 있는 주제는 주돈이의 『통서』(通書)입니다. 우리는 이 대목에서 『通書』가 뜻하는 바가 무엇인지 이해할 수 있습니다. 생각하는 마음은 자기 몸에 나아가 선험분석(先驗分析)을 이해하며, 이 이해에 근거하여 후험분석(後驗分析)의 존재를 영원의 필연성으로 이해합니다. 이 이해를 형성하는 마음의 능력이 '通'입니다. 先驗分析의 성리(性理)가 後驗分

析의 정리(情理)로 존재하고 있다는 사실을 영원의 필연성으로 생각하고 이해함으로써 그에 대한 확고한 믿음을 형성하는 것이 '通'입니다. 이 진실을 가르치는 책이 주돈이의 『通書』입니다.

위의 논의에 입각하여 주돈이의 주장을 들어보겠습니다.

[2-9-2『완역 성리대전』]

無思，本也; 思通，用也. 幾動於彼，誠動於此, 無思而無不通爲聖人.

생각함이 없는 것은 근본이고, 생각하여 통하는 것은 용用이다. 낌새는 저기에서 움직이고 성誠은 여기에서 움직이니, 생각함이 없으면서도 통하지 않음이 없는 사람이 성인이다.

"無思，本也"라고 했습니다. 우리의 현실은 몸으로 생겨나 몸이 겪는 순간 변화로서 감정으로 살아갑니다. 이 지점에서 우리는 생각할 것이 없습니다. 철두철미 몸으로 살아가는 것이 우리 자신 및 자연의 진실입니다. 그러나 몸이 순간 변화함으로써 구체적인 감정으로 드러나면, 마음은 그때 비로소 그에 대한 관념을 형성합니다. 이때 마음은 몸의 순간 변화인 감정에 대해서 생각합니다. 생각하는 마음이 감정에 대해서 통(通)의 논리적 필연성인 성리(性理)로부터 연역되는 정리(情理) 안에서 이해하면, 그 즉시 감정의 순수지선을 이해하게 됩니다.

그리고 주돈이는 몸의 순간 변화를 '기'(幾)로 정의합니다. 이로부터 '幾'는 오직 몸의 사건[幾動於彼]이 분명합니다. 여기에서 '피'(彼)는 '幾'가 마음의 사건이 아님을 분명히 합니다. 무사(無思)는 마음의 존재를 부정하는 것이 아니라 몸의 진실을 뜻합니다. 몸은 생각하는 것이 아니라 오로지 자기 몸에 고유한 생김의 본성을 따라서 존재하며 활동합니다. 여기에는 생각이 없습니다. 그러나 몸의 생김에 고유한 본성인 '성'(誠)은 선험분석에도 존재할 뿐만 아니라 후험분석으로 존재합니다. 후험분석에 존재하는 선험분석이 몸의 순간 변화에 고유한 본성으로 존재합니다[誠動於此].

몸은 생각하는 것이 아니라 오직 자기 본성의 필연성으로 존재하며, 동시에 자기 본성의 필연성으로 순간 변화합니다. 엄밀히 말해서 몸의 순간 변화는 몸의 사건이지 생각하는 마음의 사건이 아닙니다[幾動於彼]. 그리고 이 변화는 후험분석으로 존재하는 선험분석을 본성으로 갖기 때문에 성(誠)은 후험에 존재하며 후험의 무한 변화에 관한 한 유일한 본성입니다[誠動於此]. 이 사실이 생각하는 마음에게 분명할 때, 마음은 자기 몸의 생김과 놀이 및 자연의 모든 몸에 대한 생김과 놀이에 대해서 절대적으로 몸(감정)을 떠나서 생각하지 않습니다. 자신의 생각을 몸에 두어 몸의 생김과 놀이에 고유한 본성의 필연성에 대해서 생각하며 그에 대한 자명한 이해를 형성합니다.

이 이해가 "無思而無不通爲聖人"(생각함이 없으면서도 통하지 않음이 없는 사람이 성인이다.)입니다. 무사(無思)는 생각하는 마음이 몸을 절대적으로 떠나지 않는다는 것을 뜻합니다. 무불통(無不通)은 생각하는 마음이 몸에 나아가 그것의 생김과 놀이를 일관하는 본성의 필연성에 대한 이해를 영원의 필연성으로 확립한다는 것을 뜻합니다. 그 결과 생각하는 마음은 모든 몸의 생김과 놀이를 순수지선으로 이해합니다. 이 이해를 형성함으로써 삶의 모든 순간을 순수지선으로 즐기는 사람이 성인(聖人)입니다. 따라서 "無思而無不通爲聖人"라는 결론은 성리학의 감정과학에 근거하여 지극히 당연한 것입니다.

위의 결론에 대해서 주자도 동일한 주장을 전개하고 있다는 것을 확인할 수 있습니다.

[2-9-2-0『완역 성리대전』]

無思 , 誠也; 思通, 神也. 所謂'誠·神·幾'曰聖人也.

생각함이 없는 것은 성誠이고, 생각하여 통하는 것은 신묘함이다. 이른바 '성誠하고 신묘하며 낌새[幾]를 아는 사람'을 성인이라고 한다.

"無思 , 誠也"는 몸 그 자체의 본성을 뜻합니다. "思通, 神也"은 몸-생김 그 자체의 본성에 근거하여 몸-놀이의 감정에 대해서 타당하게 이해하는 것입니다. 이미 논의한 바와 같이 신(神)은 무한한 방식으로 무한한 감정입니다. 감정에 대한 타당한 이해로부터 우리가 깨닫게 되는 것은 무한한 방식으로 무한하게 존재하는 감정이 신의 완전성과 순수지선을 무한하게 증명하고 있다는 성스러운 사실입니다. 이 사실에 대한 인식이 '사통'(思通)입니다. 그렇기 때문에 다음과 같은 주돈이의 주장은 지극히 당연합니다.

[2-9-3『완역 성리대전』]

不思 , 則不能通微; 不睿 , 則不能無不通. 是則無不通生於通微, 通微生於思.

생각하지 않으면 미세함에 통할 수 없고, 슬기롭지 않으면 통하지 않음이 없을 수 없다. 이와 같다면 통하지 않음이 없음은 은미함에 통하는 데서 생기고, 은미함에 통하는 것은 생각함에서 생겨난다.

[2-9-4『완역 성리대전』]

故思者，聖功之本，而吉·凶之機也.

그러므로 생각함은 성인이 되기 위한 공부의 근본이면서 길吉과 흉凶의 낌새이다.

위의 논의로부터 주돈이의 『통서』가 감정과학이라는 사실은 분명합니다. 학문은 몸의 순간 변화인 감정에 대한 타당한 인식을 형성하는 것입니다. 몸의 순간 변화인 감정을 떠나서 학문의 주제를 찾는 것은 학문을 배반한 것일 뿐만 아니라 자기 행복을 자기 스스로 등지는 것입니다. 그래서 주돈이는 다음과 같이 말합니다.

[2-9-5『완역 성리대전』]

易曰："君子見幾而作, 不俟終日."

역에서 말했다. "군자는 낌새를 보고 떠나지, 온 종일 기다리지 않는다."

[2-9-6『완역 성리대전』]

又曰："知幾其神乎！"

또 말했다. "낌새를 아는 것은 신묘함이로다!"

'기'(幾)는 몸의 순간 변화인 '감정'입니다. 그렇기 때문에 감정과학을 연마하는 성인(聖人)은 매순간 무한히 변화하는 감정의 순간순간에 나아가 그 각각에 고유한 본성의 필연성을 인식함으로써 감정의 모든 순간 변화가 영원의 필연성으로 순수지선 안에 존재하고 있다는 사실을 이해하는 사람입니다. 영원의 필연성으로 존재하는 순수지선을 주돈이는 천(天)으로 정의합니다. 그렇기 때문에 사람의 성스러움은 天을 향한 지적인 사랑에 있습니다.

[2-10-1 『완역 성리대전』]

聖希天, 賢希聖, 士希賢.

성인은 하늘을 바라고, 현인은 성인을 바라며, 선비는 현인을 바란다.

성인(聖人), 현인(賢人), 그리고 선비(士)의 구분은 사람에 대한 차등이나 등급이 아닙니다. 사람이면 성인, 현인, 그리고 선비를 구분할 필요 없이 모두가 영원무한의 필연성으로 존재하는 천(天)에 대한 명석판명의 이해를 형성해야 한다는 것입니다. 뜻밖에 이 지점에서 성리학의 감정과학은 인간에 관한 한 '절대 평등'의 이해를 가지고 있다는 사실을 확인할 수 있습니다. 주자도 이 사실을 확인합니다.

[2-10-1-1 『완역 성리대전』]

問 : "'聖希天', 若論聖人自是與天相似了, 得非聖人未嘗自以爲聖, 雖已至聖處, 而猶戒慎恐懼, 未嘗頃刻忘所法則否?"

朱子曰 : "天自是天, 人自是人. 人終是如何得似天? 自是用法天. '明王奉若天道', 無非法天者. 大事大法天, 小事小法天."

물었다. "'성인은 하늘을 바란다.'에서 만약 성인을 논한다면, 본래 하늘과 비슷하나, 성인은 스스로를 성인으로 여긴 적이 없으니, 비록 이미 성인의 경지에 이르렀을지라도, 오히려 경계하고 삼가며 두려워하여 잠시라도 본받을 것을 잊은 적이 없다는 것인지요?"

주자가 대답했다. "하늘은 하늘이고, 사람은 사람인데, 사람이 어떻게 하늘과 같을 수 있겠는가? 스스로 하늘을 본받는 것이다. '현명한 군왕은 천도를 받들어 따른다.'라는 것은 하늘을 본받지 않음이 없다는 것이다. 큰일에서는 하늘을 크게 본받고, 작은 일에서는 하늘을 작게 본받는다."

"스스로 하늘을 본받는 것이다."라고 말했습니다. 영원무한의 필연성으로 존재하는 순수지선의 천(天)이 자연의 모든 몸을 무한히 생성하며, 그렇게 생성된 몸은 天의 본성 안에서 무한히 변화합니다. 엄밀히 말해서 이 둘은 서로 다른 것이지만, 자연 안에서 몸의 생김과 놀이는 절대적으로 天 안에 있습니다. 이 둘이 서로 다르다는 것을 알 때, 天 그 자체의 본성을 우리가 이해하며 그에 근거하여 몸의 생김과 놀이를 이해합니다. "하늘은 하늘이고, 사람은 사람인데, 사람이 어떻게 하늘과 같을 수 있겠는가?"라고 주자가 대답한 이유입니다. 그 결과 자연의 어떤 것도 天 안에 존재한다는 사실을 이해합니다. "큰 일에서는 하늘을 크게 본받고, 작은 일에서는 하늘을 작게 본받는다."라고 말한 까닭입니다.

이제 주돈이의 논의는 구체적으로 전개됩니다.

[2-10-2 『완역 성리대전』]

伊尹, 顔淵, 大賢也. 伊尹恥其君不爲堯·舜, 一夫不得其所, 若撻于市. 顔淵不遷怒, 不貳過, 三月不違仁.

이윤伊尹과 안연은 큰 현인이다. 이윤은 그 임금이 요임금이나 순임금처럼 되지 못하게 한 것을 부끄러워하였고, 한 사내라도 제 자리를 얻지 못하게 한 것을 시장에서 매를 맞는 것과 같이 여겼다. 안연은 성냄을 옮기지 않고, 같은 잘못을 다시 저지르지 않았으며, 세 달 동안 인仁

을 떠나지 않았다.

주돈이는 이윤(伊尹)과 안연(顔淵)을 예로 들어서 성리학의 감정과학을 설명합니다. 요임금과 순임금은 자연의 진실을 순수지선으로 이해함으로써 세상의 진실을 순수지선으로 밝혔습니다. 정치의 진실을 여기에서 이해할 수 있어야 합니다. 정치는 다 좋은 세상을 가꾸는 방법입니다. “ 한 사내라도 제 자리를 얻지 못하게 한 것을 시장에서 매를 맞는 것과 같이 여겼다.”라고 말한 이유입니다. 몸으로 생겨나 놀이하는 것은 다 좋은 것이므로 반드시 자기 자리를 가지고 있습니다. 이 사실을 확인하는 방법이 顔淵입니다. 안연의 핵심은 “성냄을 옮기지 않고”에 있습니다. 감정의 진실을 배운 사람이 顔淵입니다.

이러한 맥락에서 주돈이의 결론은 지극히 당연합니다.

[2-10-3『완역 성리대전』]

志伊尹之所志, 學顔子之所學.

이윤이 뜻한 것을 뜻으로 삼고, 안자顔淵가 배운 것을 배운다.

이윤(伊尹)의 뜻은 ‘다 좋은 세상’이며, 이 세상을 위한 학문이 안연(顔淵)의 학문입니다.

그러므로 행복의 방법은 감정과학에 있다는 것을 알 수 있습니다.

[2-10-4『완역 성리대전』]

過則聖; 及則賢. 不及則亦不失於令名.

(이윤과 안연의 경지를) 넘어서면 성인이고, 미치면 현인이다. 미치지 못하더라도 또한 좋은 명성을 잃지는 않을 것이다.

“過則聖[(이윤과 안연의 경지를) 넘어서면 성인이고]”는 감정과학을 통해서 몸의 생김과 놀이를 이해한 것을 뜻합니다. “及則賢[미치면 현인이다.]”는 감정과학 이외 인간의 행복이 없다는 것을 뜻합니다. “不及則亦不失於令名[미치지 못하더라도 또한 좋은 명성을 잃지는 않을 것이다.]”는 인간과 자연의 진실은 인식 여부에 상관없이 성인(聖人)이며 다 좋은 순수지선의 세상이라는 뜻입니다. 감정과학을 배우지 않아도 인간의 진실은 성인(聖人)입니다. 그렇기 때문에 감정과학을 연마함으로써 인간의 감정에 나아가 聖人의 진실을 확인하면 이 인식이 곧 우리를 보다 더 큰 완전성의 행복으로 인도합니다. 따라서 감정과학으로 행복을 추구하는 것은 의지력이 아니라 몸의 진실 안에서 지극히 자연스러운 것입니다.

6장. 감정과학의 功效(공효)

5장은 천(天)에 대한 이해가 가져오는 효과가 무엇인지 정리하는 것으로 마무리했습니다. 이 효과가 감정과학의 공효(功效)입니다. 여기에서는 그 핵심을 간단히 요약하겠습니다. 우리 자신의 몸에 나아가 우리 스스로 생각해 보면, 몸의 생김에 고유한 진실은 영원무한의 생명과 사랑입니다. 생명이 생명을 낳을 수 있기 때문에 생명을 낳은 생명은 영원의 필연성으로 존재합니다. 영원의 필연성으로 존재하는 생명은 영원의 생명입니다. 영원으로 존재하는 생명이 자신의 생명으로 새로운 생명을 무한한 방식으로 무한하게 낳습니다. 이 이유로 영원의 생명은 무한이며, 생명이 생명을 낳는 것은 사랑이기 때문에 영원무한의 생명은 동시에 영원무한의 생명과 사랑입니다.

영원무한의 생명과 사랑이 진실로 존재합니다. 이 존재는 몸과 마음으로 존재합니다. 우리에게 몸과 마음이 존재한다는 사실로부터 영원무한의 생명과 사랑은 자기 안에 몸과 마음을 가지고 있습니다. 영원무한의 생명과 사랑으로 존재하는 몸이 영원의 필연성으로 존재하며 마음도 그와 동일하게 영원의 필연성으로 존재합니다. 이 몸과 마음에 의해서 지금 '나'의 몸과 마음이 존재하도록 영원의 필연성으로 결정되어 있습니다. 영원무한의 생명과 사랑으로 존재하는 마음은 자신의 몸으로 산출할 수 있는 모든 몸에 대한 관념을 자기 안에 본래부터 가지고 있으며, 이와 동일한 질서로 영원무한의 생명과 사랑으로 존재하는 몸도 영원무한의 몸을 산출합니다.

이 사실을 주돈이는 다음과 같이 확인합니다.

[2-11-1『완역 성리대전』]

天以陽生萬物, 以陰成萬物. 生, 仁也; 成, 義也.

하늘은 양陽으로 만물을 생겨나게 하고, 음陰으로 만물을 이룬다. 생겨나게 함[生]은 인仁이고, 이룸[成]은 의義이다.

양(陽)은 1부에서 논의하였듯이 마음(心)입니다. 음(陰)은 몸(身)입니다. 영원무한의 생명과 사랑으로 존재하는 천(天)은 자기 안에 陽[마음]과 陰[몸]을 가지고 있습니다. 하늘의 마음은 자기 몸으로 산출할 수 있는 무한한 몸 전체에 대해서 관념을 가지고 있습니다. 엄밀히 말해서 하늘의 마음은 자기 몸 안에 존재하는 무한한 몸의 양태 전부에 대한 관념을 가지고 있습니다. 이 관념이 "하늘은 양(陽)으로 만물을 생겨나게 하고"입니다. 이와 동일한 질서로 하늘의 몸은 자기 몸으로 자기 마음 안에 존재하는 무한 양태의 몸을 무한히 산출합니다. "음(陰)으로 만물을 이룬다."의 뜻입니다.

이 이해가 분명할 때, 주돈이의 결론을 쉽게 이해할 수 있습니다.

[2-11-2『완역 성리대전』]

故聖人在上, 以仁育萬物, 以義正萬民.

그러므로 성인은 위에서 인仁으로 만물을 기르고 의義로 만민을 바르게 한다.

"인仁으로 만물을 기르고"는 자연에 존재하는 모든 몸이 천(天)의 몸에 의해서 존재하도록 영원의 필연성으로 결정되어 있다는 사실을 이해하는 것입니다. 그렇기 때문에 자연의 모든 몸을 최고의 완전성과 최고의 아름다움으로 배워서 이해하는 것이 인간이 누릴 수 있는 최고의 행복입니다. "의義로 만민을 바르게 한다."는 뜻입니다. 우리는 이러한 방식으로 마침내 자연의 모든 몸과 지금 우리 자신의 몸 그리고 몸의 순간 변화로서 감정의 무한성을 순수지선으로 이해할 수 있게 됩니다. 이것이 감정과학의 공효(功效)입니다. 주돈이는 이 핵심을 다음과 같이 정리합니다.

[2-11-3『완역 성리대전』]

天道行而萬物順; 聖德修而萬民化. 大順大化, 不見其迹, 莫知其然之謂神.

천도가 행하여서 만물이 따르고, 성덕聖德이 닦아져서 만민이 교화된다. 크게 따르고 크게 교화되는 것은 그 흔적을 보지 못하고, 그렇게 되는 것을 알지 못하는 것을 신묘함이라고 한다.

우리의 욕망이 '다 좋은 세상'을 최고의 행복으로 추구하는 한에서 욕망은 반드시 감정과학을 연마해야 합니다. 이때 욕망은 누구의 욕망일까요? 성인(聖人)의 욕망일까요? 아니면, '다 좋은 세상'을 행복으로 추구하고 있는 지금 '나' 자신의 욕망일까요? 물음의 답은 당연히 지금 '나' 자신의 욕망입니다.

[2-11-4『완역 성리대전』]

故天下之衆, 本在一人. 道豈遠乎哉? 術豈多乎哉?

그러므로 세상의 무리들은 근본이 한 사람에게 있다. 도가 어찌 멀리 있겠으며, 방법이 어찌 많이 있겠는가?

“근본이 한 사람에게 있다.”고 했습니다. 지금 ‘나’ 자신이 다 좋은 세상을 이루는 기초입니다. “도가 어찌 멀리 있겠으며, 방법이 어찌 많이 있겠는가?”라고 말했습니다. 지금 ‘나’의 몸이 다 좋은 세상을 배우는 기초이며, 지금 ‘나’의 몸에 고유한 진실이 다 좋은 세상을 이루는 방법입니다. 그러므로 감정과학의 공효는 자기 몸에 대한 올바른 이해로 자기 몸이 느끼는 감정에 대한 올바른 이해를 확립함으로써 자연의 모든 몸과 감정이 순수지선이라는 사실을 이해하는 것입니다. 이것으로 다 좋은 세상은 목적이 아니라 본래의 진실입니다.

7장. 心(심)의 후험(情(정)) · 분석(理(리)) 인식

감정과학의 공효(功效)를 누릴 수 있는 방법은 우리의 마음에 있습니다. 지금 우리 자신의 '마음'이 '방법'입니다. 성인(聖人)의 마음이 지금 우리 자신의 마음을 떠나서 별도로 존재하지 않습니다. 우리 스스로 생각을 잘 함으로써 우리 자신의 몸에 고유한 영원의 진실을 이성의 필연성으로 이해하면, 그 순간이 성스러운 성인(聖人)의 마음입니다. 그렇기 때문에 지금 자신의 마음을 떠나서 자신의 행복 및 세상의 행복을 구해서는 안 됩니다. 자기 행복은 자기 스스로 누리는 것입니다. 구원은 자기 구원이지 자기를 떠나서 구원을 구해서는 안 됩니다. 우리 각자가 이와 같은 방식으로 행복을 누리면, 세상은 이미 다 좋은 세상입니다.

주돈이는 다음과 같이 말합니다.

[2-12-1『완역 성리대전』]

十室之邑, 人人'提耳而教', 且不及, 況天下之廣, 兆民之衆哉? 曰純其心而已矣.

열 집쯤 되는 마을에 사람마다 '간절하게 가르치더라도' 또한 미치지 못하는데, 하물며 광대한 세상과 수많은 백성들이겠는가? 그 마음을 순수하게 할 뿐이라고 말한다.

우리 모두에는 생각하는 마음이 있습니다. 인과의 필연성을 영원무한으로 이해하는 마음의 생각에 입각하여 모든 몸과 감정에 대해서 이해하면, 세상의 진실을 다 좋은 세상으로 확인합니다. "그 마음을 순수하게 할 뿐이라고 말한다."라고 말한 이유입니다. 이에 해당하는 원문은 "純其心(순기심)"입니다. 기심(其心)은 자기 자신의 마음이며, 순(純)은 순수지선(純粹至善)의 純입니다. 즉, 자기의 마음이 순수지선에 대한 이해를 명백하게 형성할 때, 그 성스러운 순간이 "純其心而已矣."입니다.

이러한 이해는 다음의 인용에 근거하여 분명합니다.

[2-12-2『완역 성리대전』]

仁·義·禮·智四者, 動·靜·言·貌·視·聽無違之謂純.

인·의·예·지의 넷이 움직임·고요함·말·얼굴·봄·들음에서 어김이 없는 것을 순수함이라고 이른다.

"인·의·예·지의 넷"은 선험분석으로서 성리(性理) 또는 성(誠)이며, "움직임·고요함·말·얼굴·봄·들음"은 생김의 몸으로 살아가는 후험의 세상, 즉 후험종합(後驗綜合) 또는 정기(情氣)입니다. 후험종합에 대한 이해를 선험분석으로 이해하는 것이 주돈이가 이해하는 '순'(純)입니다. 이 이해가 성립하기 위해서는 '선험분석'이 '후험분석'으로 존재해야 합니다. 그래야 '후험종합'을 그 자체에 고유한 본성인 '후험분석'으로 이해할 수 있습니다. 몸-생김 그 자체의 본성으로서 영원무한의 생명과 사랑이 몸-놀이의 후험에 존재할 때, 무한한 방식으로 무한한 몸-놀이의 후험을 감각적 현상이 아닌 그 자체의 본성으로 이해할 수 있습니다. 이 이해가 순기심(純其心)의 '純'입니다.

마음이 자신의 몸을 비롯해서 자연의 모든 몸을 순수지선으로 명백하게 이해할 때, 감정과학의 공효를 확인할 수 있습니다. 감정에 대해서도 같은 방법이 그대로 적용됩니다.

[2-12-3 『완역 성리대전』]
心純, 則賢才輔
마음이 순수하면 현명한 인재가 도와준다.

마음이 순수지선에 대한 이해를 분명하게 형성하면, 이 이해가 가져오는 믿음으로 우리는 자연의 모든 몸과 그 모든 몸의 무한 변화인 감정 순수지선으로 배울 수 있게 됩니다. 현명한 인재는 순수지선에 대한 확고부동한 믿음입니다. 우리에게 이 믿음이 이성의 필연성으로 분명할 때, 우리는 믿음으로 배우는 성인(聖人)으로 존재합니다. 자기 본래의 축복을 누릴 수 있게 됩니다. 그렇기 때문에 가장 중요한 것은 순수지선에 대한 믿음이 이성의 필연성으로 분명한 것입니다. 이 믿음이 마음 안에 분명할 때 마음은 믿음으로 배울 수 있게 됩니다. 이 믿음이 마음의 현명함입니다.

[2-12-4 『완역 성리대전』]
賢才輔, 則天下治.
현명한 인재가 도와주면 세상이 다스려진다.

[2-12-5 『완역 성리대전』]
純心要矣, 用賢急焉.
마음을 순수하게 하는 것이 중요하고, 현명한 사람을 쓰는 것이 긴

급하다.

우리가 순수지선을 향한 확고부동의 믿음으로 순수지선을 배우면, 결국 감정과학의 공효를 누릴 수 있게 됩니다. “현명한 인재가 도와주면 세상이 다스려진다.”라고 주돈이가 자신 있게 말할 수 있는 근거입니다. 따라서 “마음을 순수하게 하는 것이 중요”합니다.

이 사실로부터 가장 중요한 것은 마음이 3장에서 논의한 ‘감정과학의 논리 구조’를 분명히 이해하는 것입니다. 성리(性理)에 대한 분명한 인식으로 정리(情理)의 필연성을 영원성 그 자체로 이해할 수 있어야 합니다. 이 논리가 ‘리’(理)이며 ‘예’(禮)입니다. 이 논리가 분명할 때 마음은 순수지선을 향한 견고한 믿음을 형성할 수 있으며 이 믿음으로 세상 모든 몸의 생김과 놀이에 대해서 즐겁게 배울 수 있습니다. 이 즐거움이 락(樂)이며 화(和)입니다. 주돈이는 이러한 논리 구조를 다음과 같이 정리합니다.

[2-13-1『완역 성리대전』]
禮, 理也; 樂, 和也.
예禮는 리理이고, 악樂은 어울림이다.

이 논리에 근거하여 몸[陰]과 마음[陽]의 진실을 이해할 때, 모든 것은 자기 생김의 진실로부터 연역되는 자기 놀이의 진실을 이해하며, 자기답게 자신의 놀이를 즐겁게 할 수 있게 됩니다. 동시에 자신과 다른 놀이에 대해서 존경하며 사랑으로 배워서 이해합니다. 이 사실을 주돈이는 다음과 같이 확인합니다.

[2-13-2『완역 성리대전』]

陰陽理而後和. '君君, 臣臣, 父父, 子子, 兄兄, 弟弟, 夫夫, 婦婦', 萬物各得其理, 然後和. 故禮先而樂後.

음과 양이 이치를 얻은 후에 어울린다. '임금은 임금답고, 신하는 신하다우며, 부모는 부모답고, 자식은 자식다우며, 형은 형답고, 아우는 아우다우며, 남편은 남편답고, 아내는 아내다워서', 만물이 각기 그 이치를 얻은 후에 어울린다. 그러므로 예가 먼저이고 악이 뒤이다.

"그러므로 예가 먼저이고 악이 뒤이다."라고 말했습니다. 감정과학의 논리(禮) 구조가 분명할 때, 감정과학의 공효(樂)를 누릴 수 있습니다. 그렇기 때문에 무엇보다도 생각하는 마음이 자기 본성 및 그에 기초한 몸의 본성에 대해서 분명하게 이해하는 것입니다. 이 사실로부터 배운다는 것은 감각적 현상에 대한 해석이 아니라 감각적 현상이 자기 안에 본래부터 품고 있는 본성의 필연성을 명백하게 이해하는 것입니다. 어떻게 하면 배우는 사람이 감각적 현상에 빠짐으로써 해석에 몰입하는 비극을 피할 수 있을까요? 방법은 생각하는 마음 자신에게 있습니다. 마음이 몸 또는 몸의 순간 변화에 대해서 관념을 형성할 때, 생각하는 자신의 본래적 기능을 상실하지 않는 것입니다.

생각하는 마음이 자기 스스로 형성한 관념에 대해서 그것의 현상에 몰입되지 않고 다시 자기에게 고유한 기능인 생각을 통해서 그에 고유한 본성의 필연성을 이해하는 것이 가장 중요합니다. 이것을 성리학(性理學)은 '경'(敬)이라는 단 한 글자로 요약합니다. 생각하는 마음이 자기 본성인 생각을 절대적으로 놓지 않는 것입니다. 생각하는 마음이 자기 본래 기능인 생각에 근거하여 자기 본성인 인과의 필연성을 생각하면, 이렇게 생각하는 한에서 마음은 절대적으로 자신이 형성한 관념을 감각적 현상으로 바라보지 않고 그에 고유한 본성의 필연성을 반드시 인식합니다. 여기에는 그 어떤 실패가 없습니다. 생각하면 반드시 이 인식을 얻게 되어 있습니다.

주자도 이 사실을 다음과 같이 논합니다.

[2-13-2-0『완역 성리대전』]

此定之以中正仁義而主靜之意. 程子論'敬則自然和樂', 亦此理也. 學者不知持敬而務爲和樂, 鮮不流於慢者.

이것은 중정中正과 인의仁義를 가지고 정하여 고요함을 주로 한다는 뜻이다. 정자程子가 '공경하면 자연히 화락和樂한다.'라고 논한 것 또한 이 이치이다. 배우는 사람이 공경함을 유지하여야 힘써 화락하게 된다는 것을 모르면 거만함에 빠지지 않는 자는 드물 것이다.

주자는 "學者不知持敬而務爲和樂[배우는 사람이 공경함을 유지하여야 힘써 화락하게 된다는 것을 모르면]"이라고 말했습니다. 핵심은 '지경'(持敬)입니다. 생각하는 마음이 자기 본래의 기능인 생각의 진실을 놓아버리면 안 된다는 뜻입니다. 이러한 방식으로 우리의 마음이 생각하고 배우면, 계속해서 논의한 바와 같이 몸이나 감정의 현상이 아닌 몸과 감정에 고유한 본성인 순수지선에 대해서 이해하게 됩니다. 이것이 실상(實像)에 대한 인식입니다. 이 인식의 중요성을 주돈이는 다음과 같이 강조합니다.

[2-14-1『완역 성리대전』]

實勝, 善也; 名勝, 恥也. 故'君子進德修業', 孶孶不息, 務實勝也. 德業有未著，則恐恐然畏人知，遠恥也．小人則僞而已．故君子日休；小人日憂．

실제가 이기는 것은 선善이고, 명성이 이기는 것은 부끄러움이다. 그러므로 '군자는 덕에 나아가 업을 닦고', 부지런히 힘써 쉬지 않으니, 실제에 힘씀이 (허위를) 이긴다. 덕에 나아가 업을 닦는 일이 아직 드러나지 않으면 두려워하고 두려워하여 다른 사람이 알까 염려하는 것은 부끄러움을 멀리 하기 위해서다. 소인은 허위를 본받을 뿐이다. 그러므로 군자는 날마다 편안하고, 소인은 날마다 근심한다.

위의 인용에 근거하여 다음의 대화에 대화를 이해할 수 있습니다.

[2-15-1『완역 성리대전』]
有善不及?
선善에 미치지 못하는 것이 있다면?

[2-15-2『완역 성리대전』]
曰: "不及則學焉."
대답했다. "미치지 못하면 배워야 한다."

[2-15-3『완역 성리대전』]
問曰："有不善?"
물었다. "선하지 않음이 있다면?"

[2-15-4『완역 성리대전』]
曰："不善則告之不善，且勸曰'庶幾有改乎，斯爲君子.'"
대답했다. "선하지 않으면 그에게 선하지 않음을 알려주고, 또 '거의 고침이 있으면, 이것이 군자가 되는 것이다.'라고 권면한다."

[2-15-5『완역 성리대전』]

有善一, 不善二, 則學其一而勸其二.

선한 것이 하나 있고 선하지 않은 것이 둘이 있다면 그 하나를 배우고 그 둘을 (고치도록) 권고해야 한다.

[2-15-6『완역 성리대전』]

有語曰 : "'斯人有是之不善, 非大惡也.' 則曰'孰無過, 焉知其不能改? 改則爲君子矣, 不改爲惡. 惡者天惡之, 彼豈無畏耶, 烏知其不能改.'"

어떤 사람이 말했다. "'이 사람에게 이러한 선하지 않음이 있지만, 큰 악은 아니다.'라고 한다면 다음과 같이 말한다. '누군들 허물이 없겠는가, 어찌 그가 고칠 수 없을 것을 알겠는가? 고치면 군자가 되고, 고치지 않으면 악인이 된다. 악인은 하늘이 미워하는데, 그가 어찌 두려움이 없겠으며, 어찌 그가 고칠 수 없을 것을 알겠는가?'"

[2-15-7『완역 성리대전』]

故君子悉有衆善, 無弗愛且敬焉.

그러므로 군자는 다 여러 선을 갖추고 있으니, 사랑하고 또 공경하지 않을 수 없을 뿐이다.

이제부터 우리에게 중요한 것은 행동을 교정하거나 뜯어 고치는 것이 아닙니다. 몸의 생김과 놀이에 고유한 본성을 인식함으로써 무한한 방식으로 무한히 생겨나는 몸의 생김과 몸의 놀이인 감정에 대한 타당한 인식을 형성하는 것입니다. 이 이해로부터 거룩하고 성스러운 존재 그 자체인 '신'(神)과 지금 우리 자신은 서로 다른 것이 아닙니다. 우리는 자연 안에서 천(天)에 의해서 생겨난 무한 양태 가운데 하나에 불과하지만, 우리가 감정과학에 근거하여 우리 자신 및 자연의 진실을 이해하는 한에서 天과 神이 지금 우리 자신으로 존재하고 있다는 사실을 확인할 수 있습니다.

[2-16-1『완역 성리대전』]

動而無靜, 靜而無動, 物也.

움직일 때에 고요함이 없고, 고요할 때에 움직임이 없는 것은 물物이다.

자연의 모든 몸을 현상으로 보면, 그것이 본래부터 자기 안에 품고 있는 본성의 필연성을 알 수 없습니다. '성(性)=리(理)'이며, '정(情)=기(氣)'입니다. 즉, 몸으로 살아가는 몸-놀이 또는 감정에는 몸-생김에 고유한 본성으로서 성리(性理)가 존재하지 않는 것처럼 보입니다. "動而無靜"입니다. 이는 역으로도 성립합니다. 몸-생김에 고유한 본성으로서 性理는 몸-놀이의 감정에는 존재하지 않는 것처럼 보입니다. "靜而無動"입니다. 이것이 감정의 감각적 현상입니다. 이 현상을 주돈이는 '물'(物)이라고 부릅니다.

그러나 '물'(物)에 나아가 그에 고유한 본성의 필연성을 인식하면, 物이 곧 神의 존재를 증명하는 성스러움 그 자체라는 것을 알 수 있습니다. 몸을 생김과 놀이로 나누고, 생김에 고유한 본성으로서 性理를 인식하면 이로부터 情理의 필연성을 영원성 그 자체의 진리라는 것을 명백하게 이해합니다. 몸의 순간 변화인 몸의 놀이[動]에는 그에 고유한 본성으로서 정리(情理)가 존재합니다. 情理는 자신의 본성으로 무한한 감정을 무한히 생성합니다. 이 진실이 곧 神의 존재를 증명합니다. 그래서 주돈이는 다음과 같이 주장합니다.

[2-16-2 『완역 성리대전』]

動而無動, 靜而無靜, 神也.

움직이지만 움직이지 않고, 고요하지만 고요하지 않은 것은 신神이다.

"動而無動"은 무한한 방식으로 무한한 감정이 영원의 필연성으로 존재하는 정리(情理) 안에 존재한다는 사실을 뜻합니다. "靜而無靜"은 단 하나의 필연성으로 존재하는 情理에 의해서 무한한 방식으로 무한한 감정이 무한히 생성된다는 것을 뜻합니다. 당연히 이 논리적 구조는 몸의 생김에도 그대로 적용됩니다. 이 사실을 가지고 주돈이는 神의 존재를 증명합니다. 이러한 맥락에서 주자도 신의 진실을 다음과 같이 말합니다.

[2-16-2-0 『완역 성리대전』]

神則不離於形, 而不囿於形矣.

신神은 형체를 떠나지 않으면서도 형체에 얽매이지 않는다.

神의 존재는 몸의 생김과 몸의 놀이에 존재하며, 자신의 존재를 자연 안의 무한한 몸과 감정으로 드러냅니다. 사실상 자연을 구성하는 모든 몸과 그 모든 몸의 무한한 감정이 자신만의 특정된 방식으로 신의 존재를 증명합니다. 자연 자체가 신입니다. 신이 곧 자연입니다. 지금 우리 자신의 몸이 신이며, 우리 자신의 몸이 느끼는 감정이 곧 신입니다. 이 사실을 이해하면 신의 존재를 우리 자신 밖에서 그리고 자연 밖에서 구할 필요가 전혀 없다는 것을 깨닫게 됩니다. 오히려 그런 생각을 헛된 생각으로 규정할 뿐입니다. 마치 바다 속에서 바닷물을 구하는 어리석음과 다르지 않습니다.

이러한 감정과학의 진실을 주돈이는 다시 확인합니다.

[2-16-3『완역 성리대전』]

動而無動, 靜而無靜, 非不動不靜也.

움직이지만 움직이지 않고, 고요하지만 고요하지 않은데, 그렇다고 해서 움직이지 않은 것도 아니고, 고요하지 않은 것도 아니다.

절대적으로 변화하지 않는 단 하나의 영원한 필연성인 '성리'[性理: 선험분석]로부터 무한한 몸이 무한히 생겨납니다. 이 몸을 '성기'[性氣: 선험종합]라고 부릅니다. 같은 방식으로 절대적으로 변화하지 않는 단 하나의 영원한 필연성인 '정리'[情理: 후험분석]로부터 무한한 감정이 무한히 생겨납니다. 이 감정을 '情氣'[情氣: 후험종합]라고 부릅니다. 주자는 이 진실을 다음과 같이 정리합니다.

[2-16-3-0『완역 성리대전』]

動中有靜, 靜中有動.

움직임 속에 고요함이 있고, 고요함 속에 움직임이 있다.

그렇기 때문에 몸과 감정에 대한 이해를 현상으로 이해하는 것과 그 자체의 본성의 필연성으로 이해하는 것은 본질적으로 완전히 다른 인식입니다. 주돈이도 이 인식의 진실을 확인합니다.

[2-16-4 『완역 성리대전』]

物則不通, '神妙萬物.'

물物은 두루 통하지 않고, 신神은 만물을 오묘하게 한다.

몸과 감정의 현상으로 이해하면, 『통서』의 진실을 이해할 수 없습니다. 불통(不通)입니다. 반면, 몸과 감정의 현상에 나아가 그에 고유한 본성의 필연성을 인식하면, 그 즉시 『통서』의 진실을 이해할 수 있습니다.

바로 이 지점에서 신(神) 또는 천(天)의 존재가 지금 우리 자신과 본질적으로 다르지 않다는 것을 알 수 있습니다. 왜냐하면 영원의 필연성에 대한 인식은 영원의 필연성 그 자체가 할 수 있는 것이지 그 밖에 있는 것은 절대적으로 영원의 필연성을 인식할 수 없기 때문입니다. 영원의 필연성은 영원무한 그 자체입니다. 자기 밖에 다른 것의 존재를 인정하지 않으며, 그러한 한에서 자기 존재에 대한 관념을 자기 아닌 다른 것에 의존하지 않습니다. 따라서 우리가 영원의 필연성으로 어떤 것을 이해할 때, 이 이해를 형성하는 순간이 곧 우리 자신이 天 또는 神으로 존재하고 있다는 사실을 증명하는 성스러운 순간입니다.

이 사실을 주자도 확인합니다.

[2-16-4-4 『완역 성리대전』]

"所謂神者, 初不離乎物. 如天地物也, 天之收斂豈專乎動, 地之發生豈專乎靜? 此即神也."

(주자가 말했다.) "이른바 신神은 애초부터 물物을 떠나지 않는다.

예컨대 천지가 물物인 것과 같다. 하늘이 수렴하는 것이 어찌 오로지 움직임만이겠으며, 땅이 발생시키는 것이 어찌 오로지 고요함뿐이겠는가? 이것이 바로 신이다."

"이른바 신(神)은 애초부터 물(物)을 떠나지 않는다."라고 말했습니다. 왜냐하면 物의 존재 기원은 神이기 때문입니다. 어떤 것이 존재할 때, 그것은 자기 존재에 고유한 본성의 필연성을 따라서 존재합니다. 이 본성이 神입니다. 이러한 맥락에서 물(物)을 현상이 아닌 그 자체의 본성으로 인식하는 것이 神을 향한 인식입니다. 그리고 이 인식을 형성하는 순간 우리는 우리 자신이 神으로 존재하고 있다는 사실을 확인합니다. 왜냐하면 神은 자기 존재에 대한 관념의 형성에 관하여 자기 아닌 다른 것에 절대적으로 의존하지 않기 때문입니다. 따라서 우리가 物을 영원의 필연성으로 인식한다는 것은 사실상 神이 자신을 이해하는 것과 본질적으로 같습니다.

우리 자신이 神 안에서 神과 본래 하나라는 사실을 확인하는 것 이상으로 행복은 없습니다. 영원의 필연성으로 존재하는 것은 그 자체가 최고의 완전성입니다. 최고의 완전성은 순수지선입니다. 이 진실을 우리 자신의 존재에 고유한 본성으로 이해할 때, 우리는 존재 자체로 최고의 행복입니다. 그렇기 때문에 우리는 神을 향한 분명한 인식을 최고의 행복으로 추구하며, 그러한 한에서 神을 향한 인식이 우리 스스로 자신을 최고로 사랑하는 노력입니다. '감정과학'이 '神을 향한 지적인 사랑'인 이유입니다. 이 사랑의 진실을 주돈이는 다음과 같이 확인합니다.

[2-16-5『완역 성리대전』]

水陰根陽, 火陽根陰.

수水는 음陰인데 양陽에 뿌리를 두며, 화火는 양陽인데 음陰에 뿌리를 둔다.

[2-16-6『완역 성리대전』]

五行陰陽, 陰陽太極.

오행은 음양이고, 음양은 태극이다.

[2-16-7『완역 성리대전』]

四時運行, 萬物終始.

사계절이 운행하여, 만물의 끝과 시작을 이룬다.

[2-16-8『완역 성리대전』]

混兮闢兮, 其無窮兮.

혼합했다가 열어가니, 그것은 끝이 없다.

자연의 진실이 神 안에 있습니다. 자연을 구성하는 모든 것이 神 안에 있습니다. 모든 것은 神에 의해서 존재하도록 영원의 필연성으로 결정되었으며, 神에 의해서 놀이하도록 영원의 필연성으로 결정되었습니다. 이 사실을 배워서 이해하면, 우리는 자연의 진실을 神으로 이해할 뿐만 아니라 우리 자신이 神으로 존재하고 있다는 거룩하고 성스러운 자기 진실을 이해할 수 있습니다.

8장. 情다운 세상의 예술

감정을 느끼며 감정으로 살아가는 세상의 진실은 '천국'(天國)입니다. 천국은 감정의 세상을 초월한 것도 아니며 죽어서 가는 세상도 아닙니다. 그러나 여기에는 매우 엄정한 것이 있습니다. 天國은 엄밀히 말해서 감정에 대한 참다운 인식 안에서 감정의 진실대로 살아가는 세상이지, 감정에 대한 인식의 오류로 살아가는 세상이 아닙니다. 감정의 진실을 이해하며 감정의 진실대로 살아가는 삶의 순간이 天國입니다. 그렇기 때문에 천국은 '감정'의 진실에 대한 분명한 인식으로 살아가는 감정의 세상입니다. 이 인식에서 모든 제도와 규칙이 유래합니다. 다 좋은 세상을 향한 분명한 인식 안에서 다 좋은 세상을 살아가기 위한 구체적인 제도 및 규칙이 제정됩니다.

주돈이도 제도와 규칙의 정신을 다음과 같이 밝힙니다.

> [2-17-1 『완역 성리대전』]
>
> 古者聖王制禮法, 修教化, 三綱正, 九疇敍, 百姓大和, 萬物咸若.
>
> 옛날에 성왕이 예의와 법도를 만들어 교화를 닦으니, 삼강이 바르게 되고 구주가 펼쳐지며 백성이 크게 어울리고 만물이 다 따랐다.

그런데 여기에서 매우 중요한 것은 예의와 법도가 구체적으로 무엇이냐는 것입니다. '법'일까요? 구체적으로 '형벌'일까요? 그렇지 않습니다. 감정에 대한 참다운 인식은 감정의 순수지선(純粹至善)을 인식하는 것입니다. 우리가 감정과학을 연마함으로써 매순간 무한히 새로운 감정에 대한 타당한 인식을 형성한다는 것은 사실상 純粹至善에 대한 인식을 무한히 증대시킨다는 것을 뜻합니다. 그 결과는 무엇일까요? 감정의 진실 안에서 감정의 진실을 인식함으로써 감정의 행복을 무한히 증진시키는 무한한 기쁨입니다. 이러한 기쁨으로 살아가는 세상은 행동을 강제하거나 억압하는 형벌의 세상이 아니라 배움의 기쁨으로 가득한 행복의 세상입니다.

이 세상은 정다운 세상 또는 기분 좋은 세상입니다. 이 세상을 다스리는 방법은 결코 '형벌'일 수 없습니다. 오히려 '음악'입니다. 기분이 좋으면 우리가 노래를 부르는 것과 같이, 정다운 천국의 세상은 음악으로 다 좋은 세상의 성스러움을 지키고 유지합니다. 주돈이도 이 사실을 확인합니다.

> [2-17-2『완역 성리대전』]
> 乃作樂以宣八風之氣, 以平天下之情.
> 악樂을 지어 팔풍의 기를 펼치고, 세상의 실정을 평화롭게 하였다.

형벌을 제정하거나 전쟁을 통해서 세상을 평화롭게 하지 않았습니다. 분명히 말하기를, "악(樂)을 지어 팔풍의 기를 펼치고, 세상의 실정을 평화롭게 하였다."라고 했습니다. 21세기 인류는 세상의 평화를 실현하는 방법이 국회를 통과한 실정법에 있다고 생각하지만, 감정과학에 의하면 진실로 평화로운 세상을 구현하는 방법은 인간의 감정에 있습니다. 구체적으로 말하자면, 감정의 진실에서 나오는 예술에 있습니다. 사람이 감정의 진실을 인식함으로써 감정의 순수지선을 확인하면, 그 순간 사람은 영원무한의 생명과 사랑으로 자기 본래의 진실을 확인합니다. 이 확인으로부터 사람은 생명과 사랑의 사람으로 살아가기 때문에 세상의 평화는 저절로 실현됩니다.

이때 우리를 절대 떠나지 않는 것이 '음악'입니다. 감정과학 안에서 기분 좋은 세상의 진실에 대해서 주돈이는 다음과 같이 말합니다.

[2-17-3『완역 성리대전』]

故樂聲淡而不傷; 和而不淫. 入其耳, 感其心, 莫不淡且和焉. 淡則欲心平; 和則躁心釋.

그러므로 악의 소리는 담박하나 해치지 않고, 어울리되 음탕하지 않다. 그 귀로 들어가서 그 마음에 느끼니, 담박하고 어울리지 않음이 없다. 담박하면 하고자 하는 마음이 평안해지고, 어울리면 조급한 마음이 풀어진다.

인간이 감정과학을 연마함으로써 실현하는 세상은 기분 좋은 세상입니다. 이 세상은 '음악'으로 자신의 진실을 드러냅니다. 동시에 기분 좋은 세상의 음악을 향유함으로써 인간은 보다 더 기분 좋은 감정과학을 연마하게 됩니다. 이처럼 학문과 예술은 서로를 도와주며 서로를 일으켜줍니다. 감정의 진실을 밝히는 학문은 예술을 흥기시키며, 그렇게 흥기된 예술은 감정의 진실을 밝히는 학문을 인간이 누릴 수 있는 최고의 행복으로 확인합니다. 그렇기 때문에 이 사실을 반대로 해석하면 학문과 예술의 위기를 진단할 수 있습니다. 즉, 세상이 예술 보다는 형법 같은 법률을 중시하거나 예술이 학문과 분리되어 있다면, 이는 천국(天國)의 행복을 상실한 인간의 비극입니다.

이 비극에 대해서 주돈이의 설명은 매우 중요합니다.

[2-17-5『완역 성리대전』]

後世禮法不修, 政刑苛紊, 縱欲敗度, 下民困苦. 謂'古樂不足聽也', 代變新聲, 妖淫愁怨, 導欲增悲, 不能自止, 故有賊君棄父, 輕生敗倫, 不可禁者矣.

후세에 예와 법이 닦아지지 않고, 정치와 형벌이 가혹하고 문란하며, 욕심을 제멋대로 하고 법도를 손상시키니, 백성들이 고통스러워졌다. '옛날 악은 들을만한 것이 못된다.'고 하여, 새로운 소리를 만들어 대체하며, 요염하고 음탕하며 시름하고 원망하며, 욕심대로 하여 슬픔을 더하고, 스스로 멈출 수 없으므로, 임금을 해치고 부모를 버리며, 생명을 가볍게 여기고 윤리를 파괴시켜도 금지시키지 못한다.

"정치와 형벌이 가혹하고 문란하며"라고 말했습니다. 음악 등과 같은 예술로 세상을 다스리는 것이 아니라 가혹한 형벌로 세상을 다스리고 있습니다. 감정으로 존재하는 인간이 감정의 진실에 어둡게 되면, 그 즉시 감정을 느끼며 감정으로 살아가는 세상에서 잘못을 하게 됩니다. 생명과 사랑의 감정을 잘못 이해하면 뜻밖에 생명과 사랑의 감정으로 생명과 사랑을 어기는 못된 짓을 하는 것입니다. 인류가 이 지경에 처하게 되면 감정의 진실을 이해하는 감정과학을 연마해야 하는데, 오히려 정반대의 결정을 합니다. 인간의 본성이 나쁘기 때문에 형벌과 정치를 통해서 인간의 감정을 억제하거나 조절함으로써 세상의 평화를 실현하겠다고 합니다. 형벌이 가혹하게 됩니다.

감정을 느끼며 감정으로 살아가는 개인들의 삶은 어떻게 될까요? 바로 앞의 문단에서 잠깐 언급한 바와 같이, 영원의 필연성 안에서 생명과 사랑으로 결정된 감정을 느끼며 살아가고 있음에도 불구하고 뜻밖에 생명과 사랑을 어기는 일에 앞장서게 됩니다. "'옛날 악은 들을만한 것이 못된다.'고 하여, 새로운 소리를 만들어 대체하며, 요염하고 음탕하며 시름하고 원망하며, 욕심대로 하여 슬픔을 더하고, 스스로 멈출 수 없으므로, 임금을 해치고 부모를 버리며, 생명을 가볍게 여기고 윤리를 파괴시켜도 금지시키지 못한다."는 비극에 떨어지고 맙니다. 감정과학의 논리구조를 배우지 않아서 감정의 진실에 어둡게 되면, 감정으로 살아가는 세상에서 비극을 면할 수 없습니다.

이러한 안타까움을 주돈이에게서 들을 수 있습니다.

> [2-17-6『완역 성리대전』]
>
> 嗚呼! 樂者, 古以平心, 今以助欲; 古以宣化, 今以長怨.
>
> 오호라! 악樂이 옛날에는 마음을 평화롭게 했으나 지금은 욕심을 조장하고, 옛날에는 교화를 펼쳤으나 지금은 원망을 자라게 한다.

우리 인류가 몸으로 생겨나서 몸으로 살아가는 한에서 인류의 본질은 감정입니다. 감정 이외 그 어떤 것으로도 인류의 본질을 규정할 수 없습니다. 그렇기 때문에 우리가 감정과학을 통해서 감정의 진실을 순수지선으로 확인함으로써 감정으로 살아가는 세상의 진실을 최고의 완전성으로 행복한 천국(天國)으로 확인하는 데에 성공하면, 인간은 감정으로 살아가는 자신의 모든 삶을 예술로 승화합니다. 감정에 대한 '자기이해'가 '예술'이며, 이 예술을 통해서 무한한 방식으로 무한한 예술의 장르가 생성됩니다. 이 예술은 다시 사람으로 하여금 자기를 비롯해서 세상 모든 감정의 진실을 이해하도록 인도합니다.

그러나 이 논리를 어기는 예술은 자기 본래의 기능을 상실하게 됩니다. 예술이 돈과 권력 또는 명예 등과 같은 수단으로 전락하게 됩니다. 예술의 아름다움이 뜻밖에 가격에 의해서 결정됩니다. 예술의 아름다움이 인간의 행복과 감정에 대한 타당한 인식으로 인도하는 데에 있다는 것을 터무니없는 것으로 간주합니다. 예술가 스스로 자신이 얼마나 성스러운 임무를 가지고 있는지 생각하지 않습니다. 더 나아가 예술은 사람들 사이에 남들이 하지 못한 것을 할 수 있는 사회적 지위나 우월을 과시하기 위한 수단으로 전락합니다. 궁극적으로 자신의 삶이 예술 그 자체의 아름다움이라는 사실을 알 수 없게 됩니다.

주돈이는 예술의 본질과 절망 사이의 비극을 다음과 같이 표현합니다.

[2-17-6『완역 성리대전』]

嗚呼! 樂者, 古以平心, 今以助欲; 古以宣化, 今以長怨.

오호라! 악樂이 옛날에는 마음을 평화롭게 했으나 지금은 욕심을 조장하고, 옛날에는 교화를 펼쳤으나 지금은 원망을 자라게 한다.

우리가 학문과 예술의 본질 및 이 둘 사이에 놓은 진리의 필연성을 인식한다면, 가장 중요한 것은 감정과학을 통해서 감정의 진실을 밝히고 그것으로 예술의 본질을 정의하는 것입니다.

[2-17-7『완역 성리대전』]

不復古禮, 不變今樂, 而欲至治者遠矣.

옛날 예를 회복하지 않고 오늘날의 악을 변화시키지 않으면서 다스림을 지극하게 하고자 하는 것은 (도와) 멀다.

"옛날 예를 회복하지 않고 오늘날의 악을 변화시키지 않으면서"라고 말했습니다. 여기에서 옛날의 예(禮)는 단순히 공간과 시간에 한정된 개념이 아닙니다. 감정과학의 논리가 곧 禮입니다. 몸-생김에 고유한 본성으로서 '성리'[性理=誠=太極]로부터 필연적으로 연역되는 몸-놀이에 고유한 본성으로서 '정리'[情理=誠=太極]의 진실을 이성의 필연성으로 인식하는 것이 禮이며, 이 논리의 영원성이 禮입니다. 이 논리가 분명할 때 예술의 진실이 다 좋은 세상의 천국(天國)을 보호하고 지켜나갑니다. 이 논리는 이미 2부의 7장에서 확인하였습니다.

[2-13-1『완역 성리대전』]
禮, 理也; 樂, 和也.
예禮는 리理이고, 악樂은 어울림이다.

[2-13-2『완역 성리대전』]
陰陽理而後和. '君君, 臣臣, 父父, 子子, 兄兄, 弟弟, 夫夫, 婦婦', 萬物各得其理, 然後和. 故禮先而樂後.
음과 양이 이치를 얻은 후에 어울린다. '임금은 임금답고, 신하는 신하다우며, 부모는 부모답고, 자식은 자식다우며, 형은 형답고, 아우는 아우다우며, 남편은 남편답고, 아내는 아내다워서', 만물이 각기 그 이치를 얻은 후에 어울린다. 그러므로 예가 먼저이고 악이 뒤이다.

"예(禮)는 리(理)"입니다. "그러므로 예가 먼저이고 악이 뒤이다."라고 했습니다. 감정과학의 논리가 분명할 때, 감정과학의 예술이 제 기능을 할 수 있습니다. 그리고 엄밀히 말해서 이것은 감정의 진실입니다. 이 진실을 향한 학문이 감정과학이기 때문에 감정과학의 논리와 예술이라는 말을 사용할 뿐입니다. 그런데 우리는 감정과학을 연마함으로써 감정의 진실을 이해하는 사람이 성인(聖人)이라고 계속해서 논의하였습니다. 여기에 근거하여 생각해 보면, 오직 聖人만이 학문과 예술을 책임질 수 있다는 결론이 필연적으로 나옵니다. 즉, 감정의 진실을 이해하는 사람이 학문과 예술에 대해서 진정으로 논할 수 있습니다.

[2-18-1『완역 성리대전』]

樂者, 本乎政也. 政善民安, 則天下之心和. 故聖人作樂以宣暢其和心, 達于天地, 天地之氣感而大和焉. 天地和, 則萬物順, 故神祇格, 鳥獸馴.

악樂은 정사에 뿌리를 둔다. 정사가 선하고 백성이 편안하면 세상 사람들의 마음이 어울려진다. 그러므로 성인이 악을 지어 그 어울리는 마음을 활짝 펼쳐 천지에 도달하게 하니, 천지의 기가 감화되어 크게 어울려진다. 하늘과 땅이 어울리면 만물이 순하므로 하늘의 귀신과 땅의 귀신이 이르고 새와 짐승들이 길들여진다.

중요한 부분을 밑줄로 강조하였습니다. 오직 聖人만이 학문과 예술을 감당할 수 있으며, 이것으로 다 좋은 세상의 천국(天國)을 다스릴 수 있습니다. 이 사실로부터 두 가지 논점이 파생됩니다. 첫째, 聖人은 감정의 진실을 이해하는 우리의 본질이라는 것입니다. 둘째, 聖人이 아닌 사람이 학문과 예술에 대해서 논의하면, 결과는 필연적으로 학문과 예술 둘 모두에게 비극을 불러온다는 것입니다. 따라서 학문과 예술에 대해서 논의하기 이전에, 이 논의를 전하는 사람 스스로 자신이 감정의 진실을 이해하고 있는지 솔직하게 대답해야 합니다. 더 나아가 감정의 순수지선 안에서 감정의 진실을 생명과 사랑으로 명백하게 이해하는지 솔직하게 대답해야 합니다.

[2-19-1『완역 성리대전』]

樂聲淡則聽心平, 樂辭善則歌者慕, 故風移而俗易矣. 妖聲艷辭之化也亦然.

악樂의 성聲이 담박하면 듣는 마음이 평화롭고, 악의 가사가 선하면 노래하는 자가 사모하므로, 풍속이 달라지고 습속이 바뀐다. 요염한 소리와 농염한 가사가 일으키는 변화 또한 그렇다.

그러므로 감정에 대한 이해가 정말 중요합니다. 자기 스스로 자기의 감정에 어둡다는 것은 자기 본질에 대해서 어둡다는 것을 뜻합니다. 그런데 이 비극은 자기에게서 끝나지 않습니다. 인간 및 자연의 진실이 감정입니다. 그렇기 때문에 자기의 감정을 모른다면, 그것은 자신과 인간 그리고 자연의 본질에 대해서도 모른다는 것을 뜻합니다. 이러한 무지(無知)의 비극 속에 있는 사람이 학문과 예술에 대해서 논의한다면, 그 결과는 필연적으로 감정의 비극입니다. 학문과 예술에 대한 자신의 논의가 세상의 진실을 밝히기도 하며 반대로 어둡게도 만듭니다. 따라서 감정의 진실을 이해하는 것이 자신과 세상의 행복을 위한 기본입니다.

9장. 神(신)을 향한 지적인 사랑

욕망의 진실은 행복을 추구하는 것입니다. 행복을 추구하지 않는 욕망으로 존재하며 살아가는 사람은 절대적으로 없습니다. 이것은 동시에 자연의 진실입니다. 그런데 지금 우리 자신의 몸이 없으면 당연히 행복을 추구하는 욕망도 없습니다. 우리의 몸이 없으면, 행복을 추구하는 욕망도 없으며, 결국 행복을 추구하는 것 자체가 성립할 수 없습니다. 이 사실로부터 행복을 추구하는 욕망은 무엇보다도 자기 몸의 존재를 영원무한으로 확인하는 것입니다. 이때 비로소 욕망은 자기 존재의 영원무한에 근거하여 영원무한으로 행복을 추구할 수 있습니다. 욕망의 본질에 대해서 이와 같은 방식으로 우리가 이해하면, 욕망은 감정과학을 자기 행복의 기초로 추구합니다.

감정과학은 몸의 본질을 이해함으로써 몸의 순간 변화인 감정의 본질을 이해하는 학문입니다. 감정과학이 이해하는 몸의 본질은 무엇일까요? 영원무한의 생명과 사랑이 몸의 본질입니다. 이 사실로부터 몸의 순간 변화인 감정도 영원무한의 생명과 사랑을 본질로 갖습니다. 이 말은 몸의 생김과 놀이는 절대적으로 우연성이 아닌 영원의 필연성 안에 있다는 사실을 뜻합니다. 그렇기 때문에 영원무한으로 행복을 추구하는 욕망은 무엇보다도 자기 존재의 근간이라 할 수 있는 자기 몸의 본질을 감정과학에 입각하여 이해하는 것입니다. 욕망 스스로 자기 존재의 본질이 영원무한의 생명과 사랑임을 이해할 때,

이 이해 안에서 욕망은 영원무한으로 행복을 추구할 수 있습니다.

욕망은 행복을 욕망하기 이전에 자기 본질인 몸에 대한 명백한 이해를 형성해야 합니다. 이것이 참다운 행복을 추구하는 기초이며 방법입니다. 영원무한의 생명과 사랑을 '성'(誠) 또는 '성'(聖)이라 합니다. 이 정의에 입각하여 욕망이 자신의 행복을 위해서 몸의 본질을 영원무한의 생명과 사랑으로 배운다는 것은 聖(誠)을 배운다는 것과 일치합니다. 그래서 주돈이는 다음과 같이 말합니다.

[2-20-1 『완역 성리대전』]

"聖可學乎?"

曰 : "可."

曰 : "有要乎?"

曰 : "有."

"請聞焉."

曰 : "一爲要. 一者, 無欲也. 無欲, 則靜虛動直. 靜虛則明, 明則通. 動直則公, 公則溥. 明通公溥, 庶矣乎!"

"성聖은 배울 수 있습니까?"

대답했다. "그렇다."

물었다. "요점이 있습니까?"

대답했다. "있다."

"듣기를 청합니다."

대답했다. "하나가 중요하다. 하나란 욕심이 없는 것이다. 욕심이 없으면 고요할 때 비어 있고, 움직일 때 곧아진다. 고요할 때 비어 있으면 밝고, 밝으면 통한다. 움직일 때 곧으면 공의롭고, 공의로우면 두루 미친다. 밝음과 통함과 공의로움과 두루 미침은 성聖에 가깝다!"

聖을 배울 수 있냐는 질문에 대해 주돈이는 당연히 배울 수 있다고 대답합니다. 몸의 본질인 영원무한의 생명과 사랑을 배울 수 있다는 것입니다. 방법이 무엇이냐는 질문에 대해서, 주돈이는 "하나가 중요하다. 하나란 욕심이 없는 것이다."라고 대답합니다. 이에 대한 올바른 이해가 매우 중요합니다. 주돈이에 의하면 '욕심 없음'의 무욕(無欲)이 聖을 배우는 주요한 방법입니다. 이것을 근거로 주돈이가 인간의 욕망을 부정했다고 주장한다면, 이는 『통서』의 전체 규모 및 논리에 대해서 명확하게 이해하지 못한 것입니다. 엄밀히 말해서 『통서』 이전에 자기 스스로 자기 존재의 진실에 대해서 어두운 것입니다. 몸으로 생겨나 몸으로 살아간다는 진리에 입각하여 생각해 보면, 욕망은 모든 감정의 본질이며 동시에 지금 '나'의 본질입니다.

자기 본질에 대한 자기이해의 자명(自明)을 근거로 생각해 보고 동시에 지금까지 논의한 『통서』의 감정과학에 근거하여 생각해 보면, 주돈이의 무욕(無欲)은 절대적으로 욕망에 대한 부정이 아니라는 것을 알 수 있습니다. 無欲은 행복을 밖에서 구하기 이전에 자기 스스로 자기 존재의 완전성, 즉 자기 존재의 영원한 진실로 존재하는 영원무한의 생명과 사랑에 대해서 이해하는 것으로 이해할 수밖에 없습니다. 자기 몸-생김의 진실이 영원의 필연성 안에서 생명과 사랑이라는 사실, 그렇기 때문에 자기 몸-놀이의 진실 또한 영원의 필연성 안에서 생명과 사랑이라는 사실을 명명백백하게 이해하는 것이 無欲입니다.

이렇게 이해하는 것이 정당한 이유는 無欲에 이어서 나오는 문장 때문에 확실합니다. "靜虛動直. 靜虛則明, 明則通."이라고 했습니다. 몸-생김의 진실을 자기 이해의 자명 안에서 그 자체의 본성으로 이해하는 것이 정허(靜虛)입니다. 정(靜)은 '몸'을 뜻하는 음(陰)과 짝을 이루며, 허(虛)는 자기 스스로 자기 안에서 형성하는 자기 이해의 자명을 뜻합니다. 자기 이해의 자명을 형성하는 마음의 능력이 '虛'입니다. 정허(靜虛)에 근거하여 몸-생김의 본질을 이해하면, 몸으로 놀이하는 몸의 순간 변화인 감정의 본질에 대해서 올바르게 이해합니다. 이것이 동직(動直)입니다. 이렇게 몸의 생김과 놀이를 일관하는 진리의 필연성을 이해하는 것이 허정(虛靜)의 '명'(明)입니다.

이때 비로소 '성정'(性情)의 진리가 분명하며, 이 진리 안에서 몸의 생김과 놀이의 무한 생성을 이해할 수 있습니다. 이것이 '통'(通)입니다. 이에 기초하여 이어지는 문장, "動直則公(동직즉공), 公則溥(공즉부)."를 이해할 수 있습니다. "動直則公"은 자기 스스로 자기 감정의 진실을 영원의 필연성 안에서 영원무한의 생명과 사랑으로 이해하는 것입니다. 이 이해가 공(公)인 이유는 감정에 고유한 영원한 진리를 확인하기 때문입니다. 지극히 사사로운 나의 감정이지만, 나의 감정에 대한 자기이해는 영원의 필연성이기 때문에 그 자체가 공(公)입니다. 이 公에 근거하여 세상 모든 사람의 감정 그리고 더 나아가 자연의 모든 감정에 대해서 영원의 필연성으로 이해하는 것이 "公則溥" 입니다.

바로 이 지점에서 무욕(無欲)의 진실을 확인할 수 있습니다. 욕망이 행복을 추구하기 이전에 자기 스스로 자기 본질인 몸의 진실을 영원무한의 생명과 사랑으로 확인하고 나면, 욕망은 영원의 필연성 안에서 영원무한의 생명과 사랑만을 행복으로 추구하게 됩니다. 그리고 이를 위한 구체적인 방법은 인간 세상 및 자연 모든 것에 나아가 그것의 순간 변화인 감정에 고유한 본성의 필연성을 영원성으로 확인하는 것입니다. 이 확인으로부터 욕망은 모든 감정을 영원무한의 생명과 사랑으로 긍정합니다. 이러한 욕망의 이성적인 기능이 공(公)이며, 이 욕망은 영원무한의 생명과 사랑 안에서 생명과 사랑만을 최고의 행복을 추구합니다. "明通公溥(명통공부), 庶矣乎(서의호)!"의 뜻입니다.

이상의 논의에서 우리가 참고해야 하는 것은 정허동직(靜虛動直)에 대한 주자의 설명입니다.

[2-20-1-11 『완역 성리대전』]

"'靜虛動直', 動字當就念慮之萌上看, 不可就視聽言動上看. 念慮之萌旣直, 則視聽言動自無非禮. 今以視聽言動爲動直, 則念慮之萌處有所略矣. 故動靜當以心言也. 虛直兩字, 亦當子細體認. 虛者, 此心湛然, 外物不能入, 故虛. 直者, 循理而發, 外邪不能撓, 故直. 敬則靜虛, 亦能動直. 敬該動靜者也. 今但言靜虛, 則偏矣. 心在則動皆直, 心不在則動皆邪, 此兩句却得之."

"'고요할 때 비고, 움직일 때 곧다.'라는 것에서 움직임[動]이라는 글자는 마땅히 생각의 싹의 측면에서 보아야 하지, 보고 듣고 말하고 행동한다는 측면에서 보면 안 된다. 생각의 싹이 이미 곧으면 보고 듣고 말하고 행동하는 것은 저절로 예禮가 아님이 없다. 이제 보고 듣고 말하고 행동하는 것을 움직임이 곧게 되면 생각이 싹트는 곳에 대해서는 생략함이 있게 된다. 그러므로 움직임과 고요함은 마땅히 마음을 가지고 말해야 한다. 비움과 곧음의 두 글자 또한 자세히 알아야 한다. 비움이란 이 마음이 맑아서 밖의 것이 들어올 수 없으므로 텅 비게 된다. 곧음이란 이치를 따라 발현하여 밖의 사특한 것이 어지럽힐 수 없으므로 곧게 된다. 공경하면 고요하게 비우니 또한 움직일 때 곧을 수 있다. 공경함은 움직임과 고요함을 포함하는 것이다. 다만 고요하게 비운다고만 말하면 치우쳐진다. 마음이 보존되어 있으면 움직일 때 다 곧게 되고, 마음이 보존되어 있지 않으면 움직일 때 다 사특해지니, 이 두 구절을 알아야 한다.

중요한 부분을 밑줄로 강조했습니다. 정허(靜虛)의 '虛'는 마음의 생각임을 확인할 수 있습니다. 동직(動直)의 '直'은 몸-생김의 진실로부터 몸-놀이의 진실이 연역된다는 사실을 확인합니다.

욕망이 자기 진실을 이해하는 것이 '공'(公)이라고 했습니다. 이 진실에 입각하여 세상 모든 사람의 감정 및 자연의 감정을 이해하는 것이 욕망의 진실이라고 정리했습니다. 주돈이는 이러한 욕망의 진실을 다음과 같이 밝혔습니다.

[3-21-1『완역 성리대전』]

公於己者公於人. 未有不公於己而能公於人也.

자기에게 공정한 사람은 다른 사람에게도 공정하다. 자기에게 공정하지 않은 사람이 다른 사람에게 공정한 경우는 없었다.

"자기에게 공정한 사람은 다른 사람에게도 공정하다."는 것이 욕망의 진실입니다. 영원의 필연성 안에서 생명과 사랑으로 자신을 이해하는 욕망은 오직 생명과 사랑만을 행복으로 추구합니다. 그렇기 때문에, 다시 강조하면, 욕망 스스로 자기 본질을 분명하게 이해하는 것이 가장 중요합니다. 그래서 주돈이는 다음과 같이 말합니다.

[3-21-2『완역 성리대전』]

明不至則疑生. 明無疑也. 謂能疑爲明, 何啻千里?

밝음이 이르지 않으면 의심이 생긴다. 밝으면 의심이 없다. 의심을 밝음으로 여길 수 있는 사람과는 어찌 천 리의 차이뿐이겠는가?

욕망이 자기의 진실을 알지 못하면, 자기 존재의 본질 및 작용이 영원의 필연성 안에서 영원무한의 생명과 사랑으로 결정되었다는 사실을 이해하지 못합니다. 이로부터 영원무한의 생명과 사랑에 대해서 의심을 합니다. 그런 것이 존재할까? 그것이 과연 감정의 진실인가? 이렇게 영원무한의 생명과 사랑에 대해서 의심합니다. 그 결과는 무엇일까요? 행복을 추구하는 욕망이 뜻밖에 행복의 이름으로 생명과 사랑을 어기는 잘못된 행동을 거리낌 없이 하게 됩니다. 욕망의 몸이 영원무한의 생명과 사랑을 본질로 가지고 있으며, 그러한 한에서 욕망의 몸이 영원무한의 생명과 사랑을 증명하는 성스러운 것입니다. 신(神)의 존재가 따로 없습니다. 지금 자신의 몸(욕망)이 神의 몸(욕망)입니다.

[3-22-1『완역 성리대전』]
厥彰厥微, 匪靈弗瑩.
그 밝음과 그 은미함은 신령스럽지 않으면 밝혀지지 않는다.

욕망의 몸에 고유한 본질이 곧 욕망 자신의 본질입니다. 이 본질은 영원무한의 생명과 사랑입니다. 이 진실은 자기 스스로 생각하는 중에 자기 스스로 이해를 형성하는 자명(自明)이 아니면 절대적으로 알 수 없습니다. "신령스럽지 않으면 밝혀지지 않는다."라고 말한 이유입니다. 자기 스스로 자기 몸에 대해서 생각함으로써 자기 스스로 自明하게 형성하는 이해가 있다면, 자기는 자기이해를 최고의 완전성 그 자체로 믿어야 합니다. 이 믿음으로 자신의 감정과 자연의 모든 감정을 배우면 영원무한의 생명과 사랑을 이해합니다. 그러므로 이 애해가 神을 향한 지적인 사랑이며, 무욕(無欲)의 진실입니다.

3부 후험(情 정)·종합(氣 기)

: 감정과학의 행복

1장. 지금 나의 완전성

우리는 우리 자신을 '나'라고 부릅니다. 그 누구도 자신을 '너'라고 부르지 않습니다. '나'가 없으면 '너'가 없습니다. 이 이유로 '나'에 대한 인식이 가장 중요합니다. 인식의 대상이 '나'이며, 인식의 주체가 '나'입니다. '나' 자신이 '나'를 이해합니다. 이때 '나'의 몸이 없으면 그 어느 것으로도 '나' 자신의 존재를 확인할 수 없습니다. 그리고 지금 '나'가 몸으로 존재한다는 것은 사실상 몸의 순간 변화인 감정으로 존재한다는 것을 뜻합니다. 그렇기 때문에 내가 '나' 자신을 인식한다고 할 때, 이 인식은 '나'의 몸에 대한 인식 또는 '나'의 몸의 순간 변화인 '감정'에 대한 인식입니다.

이 경우 '몸'은 자신의 순간 변화인 '감정'에 앞서서 존재합니다. 이것은 우리 스스로 생각해 보면, 논리적으로 지극히 당연한 것입니다. 이러한 맥락에서 '몸 자체'는 '감정 경험'에 앞서는 '선험'(先驗)이며, 몸의 순간 변화인 감정은 몸으로 살아가는 우리의 일상의 경험으로서 '후험'(後驗)입니다. 이 지점에서 우리는 우리 자신인 '나'에 대한 인식이 '선험'과 '후험'으로 전개된다는 것을 알 수 있습니다. 그런데 문제는 선험과 후험에 대한 인식이 구체적으로 무엇이냐는 것입니다. 이 물음에 대한 답이 분석(分析)과 종합(綜合)입니다.

綜合은 감각적으로 지각되는 현상들을 종합하는 것입니다. '선험'에 대한 종합은 감각적으로 지각되는 엄마아빠의 이야기에 의존하여 '나'의 몸을 이해하는 것입니다. '후험'에 대한 종합은 감각적으로 지각되는 몸의 현상이나 행동에 의존하여 '나'의 감정을 이해하는 것입니다. 그러나 우리가 이러한 방식으로 몸과 감정을 이해하면, 절대적으로 영원무한의 생명과 사랑 그리고 그에 고유한 진실로서 순수지선을 알 수 없습니다. 이 이유로 綜合과는 근본적으로 다른 분석(分析)의 인식을 제시합니다.

分析이란, 몸과 감정이 자기 안에 영원의 필연성으로 본래부터 가지고 있는 본성을 이해하는 것입니다. 즉, 감각적 현상으로 몸과 감정을 평가하고 해석하는 것이 아니라 감각적 현상으로 지각되는 몸과 감정에 나아가 그에 고유한 본성의 영원한 필연성을 인식하는 것이 분석입니다. 오직 분석에 근거하여 몸과 감정을 이해할 때, 몸의 진실을 영원무한의 생명과 사랑으로 확인할 수 있습니다. 몸은 영원무한의 생명과 사랑 안에서 무한히 생겨납니다. 그리고 이 확인으로부터 감정의 진실 또한 영원의 필연성 안에서 영원무한의 생명과 사랑으로 드러납니다.

모든 몸과 감정의 현상이 그 자체의 본성인 영원무한의 생명과 사랑에 의해서 순수지선으로 존재하고 있다는 사실을 이해하면, 그때 비로소 우리는 이 믿음 안에서 좋은(善) 현상과 나쁜(惡)의 현상에 나아가 그에 고유한 본성의 필연성을 묻고 배울 수 있게 됩니다. 그 결과 믿음 안에서 학문은 믿음을 보다 더 돈독하게 합니다. 나쁜 몸과 나쁜 감정은 자연 안에 절대적으로 존재하지 않습니다. 자연 안에 나쁜 몸과 나쁜 감정이 존재하고 있다는 착각이 자연의 순수지선을 부정하며, 급기야 자연을 전쟁으로 몰아갑니다. 인류가 서로에게 사랑이 아닌 전쟁을 선포하는 근본 이유입니다.

우리가 분석에 근거하여 우리 자신의 진실을 이해할 때, 우리는 우리 자신의 성스러움을 확인할 수 있고 더 나아가 자연 전체의 진실이 성스러움 그 자체라는 것을 알 수 있습니다. 이 분석 안에서 무한한 방식으로 무한한 현상으로 드러나는 자연의 무한성을 성스러움으로 배워서 이해할 수 있게 됩니다. 이처럼 분석을 향한 '지적인 사랑'에 의해서 형성되는 믿음 안에서 종합을 배우면, 배움의 모든 순간은 영원으로부터 영원에 이르는 영원성으로 순수지선의 장엄하고 성스러운 순간입니다. 학(學)이 시습(時習)인 이유가 바로 여기에 있습니다. 그 결과는 영원한 기쁨의 '열'(說=悅)입니다.

이 기쁨이 분명할 때, 우리는 비로소 몸의 진실대로 살아갈 수 있게 됩니다. 몸의 현상으로 살아가는 것이 아니라 몸의 진실에 입각하여 몸의 현상을 살아갑니다. 감정의 진실도 이와 같습니다. 이렇게 몸(감정)의 현상을 몸(감정)의 진실 안에서 살아가도록 우리를 인도하는 학문이 감정과학이며, 우리는 지금 중국과 한국의 정신을 확립한 성리학(性理學)을 감정과학으로 확인하고 있습니다. 주돈이는 성리학의 감정과학을 연마함으로써 느끼는 행복을 공자의 제자 안연(顏淵)으로 설명합니다.

[3-23-1『완역 성리대전』]

"顏子一簞食, 一瓢飮, 在陋巷, 人不堪其憂, 而不改其樂."

"안자는 하나의 대광주리에 담은 밥을 먹고 한 표주박의 물을 마시며 누추한 곳에 살았는데, 사람들은 그 근심을 감당하지 못하지만 (안자는) 그 즐거움을 고치지 않았다."

몸으로 살아가는 우리의 현상을 경제적 관점에서 봤을 때, 가장 대표적인 분류가 빈부(貧富)입니다. 그러나 貧富에 상관없이 몸 그 자체의 진실은 영원무한의 생명과 사랑입니다. 몸의 존재 자체가 영원의 필연성 안에서 최고의 행복이며 완전성이기 때문에 이 진실을 우리가 이해하는 한에서 몸으로 살아가는 삶의 진실은 貧富의 현상이 아니라 최고의 완전성 그 자체인 최고의 행복입니다. 이 진실에 대한 인식으로 살아간 인간의 대명사가 주돈이에게는 공자의 제자 안연(顔淵)입니다. 안연의 즐거움은 자기 존재의 진실을 인식함으로써 느끼는 최상의 행복입니다.

주돈이는 다음과 같이 질문합니다.

[3-23-2『완역 성리대전』]

夫富貴, 人所愛也. 顔子不愛不求, 而樂乎貧者, 獨何心哉?

부유와 귀함은 사람들이 좋아하는 것이다. 안자는 (그것을) 좋아하지도 않고 구하지 않으면서 가난함에서 즐긴 사람이니, 홀로 무슨 마음이었을까?

이 문장에서 핵심은 "樂乎貧(낙호빈)"입니다. 이에 대한 번역은 '가난을 즐겼다.'입니다. 그러나 '가난에 처해서도 즐거움이 변하지 않았다.'라고 번역하는 것이 더 좋습니다. 우리 가운데 '가난'을 좋아하면서 '가난'을 행복으로 추구하는 사람은 절대적으로 없습니다. 우리 모두는 부유함과 귀함을 행복으로 추구합니다. 욕망의 진실은 가난보다는 부유함과 귀함을 행복으로 추구합니다. 이러한 욕망의 '이성'에 근거하여 우리 스스로 생각해야 합니다. 오직 행복만을 추구하는 것이 이성이기 때문에 영원무한의 생명과 사랑 그 자체인 순수지선이 존재한다면, 욕망은 당연히 이것을 행복으로 추구합니다. 오히려 욕망 스스로 순수지선으로 존재하는 생명과 사랑이 무엇인지 모를 때, 부유함과 귀함을 행복으로 추구합니다.

행복의 진실과 행복을 추구하는 욕망의 이성에 근거하여 우리가 생각해 보면, 욕망이 영원무한의 생명과 사랑 그 자체인 순수지선으로 존재하는 자기 몸의 진실 및 자연 전체의 진실을 이해하는 한에서 욕망은 당연히 자기 몸을 비롯해서 자연의 모든 몸에 나아가 그에 고유한 본성으로서 순수지선을 이해하는 것을 최고의 행복으로 추구하게 되어 있습니다. 이러한 욕망의 이성으로 사람의 진실을 이해하고 사람의 진실대로 살아간 사람의 진실이 안연(顔淵)입니다. "안자는 (그것을) 좋아하지도 않고 구하지 않으면서 가난함에서 즐긴 사람이니, 홀로 무슨 마음이었을까?"에 대한 답은 '욕망의 이성'입니다. 욕망의 이성이 이해하는 행복의 진실입니다.

이 진실을 주돈이는 다음과 같이 밝혔습니다.

[3-23-3『완역 성리대전』]

天地間有至貴至愛可求而異乎彼者, 見其大而忘其小焉爾.

천지 사이에 지극히 귀하고 지극히 좋아하여 구할 만한 것이 있으나, (안자가) 다른 사람과 다른 점은 큰 것을 보고 작은 것을 잊은 것이다.

핵심은 "큰 것을 보고 작은 것을 잊은 것이다."에 있습니다. 부유함과 귀함을 좋아하는 것은 행복을 추구하는 욕망이 그것을 행복으로 판단하기 때문입니다. 그렇기 때문에 욕망이 영원성 그 자체인 순수지선을 이해하며 그것의 존재에 대해서 분명한 인식을 형성한다면, 욕망은 당연히 순수지선을 최고의 행복으로 추구합니다. 이 행복이 큰 것입니다. 영원무한의 행복이기 때문입니다. 이러한 행복의 진실을 주자도 확인합니다.

[3-23-3-6『완역 성리대전』]

問 : "顏子'不改其樂', 莫是樂箇貧否?"

曰 : "顏子私欲克盡, 故樂. 却不是專樂箇貧. 須知他不干貧事, 元自有箇樂始得."

물었다. "안자가 '그 즐거움을 고치지 않았다.'라는 것은 가난함을 즐거워한 것입니까?"

(주자가) 대답했다. "안자는 사욕을 다 극복하였으므로 즐거워한 것이다. 오로지 가난함을 즐거워한 것은 아니다. 그가 가난한 일과 관계없이 원래 처음부터 즐거움이 있었음을 반드시 알아야 한다."

"오로지 가난함을 즐거워한 것은 아니다. 그가 가난한 일과 관계없이 원래 처음부터 즐거움이 있었음을 반드시 알아야 한다."라고 말했습니다. 매우 중요한 논점입니다. 가난함을 즐거워한 것이 아닙니다. 영원의 필연성으로 존재하는 행복을 인식하며 행복으로 추구했다는 사실이 진실로 중요합니다. 이 인식은 종합으로 절대 이해할 수 없습니다. 오직 분석으로 이해할 수 있습니다. 이 이해를 추구하는 학문이 감정과학입니다. 우리의 논의가 이 지점에 이르면 진실로 중요한 것은 안연도 아니고 주돈이도 아닙니다. 우리 스스로 감정과학이 추구하는 몸과 감정의 진실에 대해서 분명하게 인식하는 것입니다. 이 인식이 분명하지 않으면 감정과학은 뜬구름 같은 것입니다.

[3-23-3-8『완역 성리대전』]

問 : "孔顏所樂何事?"

曰 : "不要去孔顏身上問, 只去自家身上討."

물었다. "공자와 안자가 즐거워한 것은 무엇입니까?"

(주자가) 대답했다. "공자와 안자의 측면에서 묻지 말고, 다만 자신의 측면에서 살펴야 한다."

주자는 "공자와 안자의 측면에서 묻지 말고, 다만 자신의 측면에서 살펴야 한다."라고 학문의 방법을 분명히 말했습니다. 자기 스스로 자기의 진실을 이해할 때 안연의 즐거움은 자신의 즐거움으로 확인됩니다. 이 확인이 분명하면, 다음과 같이 말할 수 있습니다.

[3-23-3-16『완역 성리대전』]

"顏子之貧如此, 而處之泰然, 不以害其樂, 故夫子深嘆美之. 程子云'顏子之樂, 非樂簞瓢陋巷也. 不以貧窶累其心而改其所樂也. 故夫子稱其賢.' ..."

(주자가 말했다.) "안자의 가난함이 이와 같지만 처하는 것이 편안하여 그 즐거움을 해치지 않으므로 공자가 깊게 찬탄하여 아름답게 여겼다. 정자程子가 '안자의 즐거움은 대광주리의 밥, 표주박의 물, 누추한 거리를 즐거워한 것이 아니다. 가난함이 그 마음에 누를 끼침으로 해서 그 즐거워하는 것을 고치지 않았다. 그러므로 공자가 그를 현명하다고 칭찬했다.'라고 하고..."

인간의 성스러움은 자기 스스로 자기의 진실을 이해함으로써 자신이 처한 조건과 환경을 최고의 행복으로 살아가는 데에 있습니다.

조건이나 환경을 탓하는 것이 아니라 자기 존재에 고유한 생명과 사랑의 진실을 믿음으로써 조건과 환경 안에서 최선의 행복을 추구하고 확립하는 것이 인간의 성스러움입니다. 왜냐하면 이러한 방식으로 자신의 행복을 챙겨가는 한에서 인간은 절대적으로 수동적으로 결정된 존재가 아니라 최고의 능동성 그 자체인 신성(神性)으로 결정된 존재라는 사실이 증명되기 때문입니다. 자기 안에 최고의 행복이 최고의 완전성으로 존재합니다. 이 사실을 이해하는 믿음으로 자기의 삶을 살아가는 삶의 모든 순간이 성스러운 순간입니다.

주돈이도 삶의 성스러움을 감정과학과 동일한 논리로 이해합니다.

[3-23-4『완역 성리대전』]

見其大則心泰, 心泰則無不足; 無不足, 則富·貴·貧·賤處之一也. 處之一, 則能化而齊. 故顏子亞聖.

그 큼을 보면 마음이 편안해지고, 마음이 편안해지면 만족하지 않음이 없으며, 만족하지 않음이 없으면 부유함·귀함·가난함·천함에 처하는 것이 동일해진다. 처함이 동일해지면 크게 변화하여 (성인과) 나란할 수 있다. 그러므로 안자는 아성亞聖이다.

그러므로 성인(聖人)은 자기 행복의 진실을 알아서 자기 행복으로 살아가는 사람입니다. 초월적이거나 절대적인 존재가 절대 아닙니다. 몸으로 생겨나서 몸의 순간 변화인 감정으로 살아가는 사람이 자기 몸의 진실로부터 감정의 진실을 이해함으로써 삶의 무한 변화를 최고의 완전성 그 자체인 순수지선의 행복 안에서 이해하며 즐기는 사람이 성스러운 사람입니다. 끝으로 아성(亞聖)에 대해서 간략히 설명하자면, 聖人의 완전성 안에서 聖人의 삶을 살아가는 축복이 亞聖입니다. 聖人과 亞聖 사이에는 그 어떤 수준이나 경지 같은 것이 없습니다. 본래 聖人이 삶의 모든 순간을 자기 본래의 聖人으로 살아가는 것이 亞聖입니다. 이러한 측면에서 聖人의 완전성이 보다 더 큰 완전성으로 이행하는 기쁨이 亞聖입니다.

2장. 가장 귀한 지금 나의 몸

1장으로부터 다음의 결론은 필연적입니다.

[3-24-1 『완역 성리대전』]

天地間至尊者道, 至貴者德而已矣. 至難得者人. 人而至難得者, 道德有於身而已矣.

천지 사이에 지극히 존엄한 것은 도이고, 지극히 귀한 것은 덕일 뿐이다. 얻기가 지극히 어려운 것은 사람이다. 사람이 지극히 얻기 어려운 것은 도덕을 자신에게 두는 것이다.

"道德有於身而已矣"라고 말했습니다. 도덕(道德)이 지금 자신의 '몸'(身)에 있습니다. 몸은 자기 본성의 필연성으로 존재하는 영원무한의 생명과 사랑 안에서 존재하며 활동합니다. 이 사실을 마음이 이해할 때, 마음은 몸의 생김과 놀이를 올바르게 이해할 수 있습니다. 이때 비로소 마음은 자기 몸에 고유한 영원무한의 생명과 사랑으로 살아가는 축복을 누리게 됩니다. '도'(道)는 몸의 생김과 놀이를 일관하는 본성의 영원한 필연성이며, '덕'(德)은 본성의 필연성을 따라서 무한히 생겨나고 무한히 변화하는 몸의 무한성입니다. 이것이 몸의 진실로 분명하기 때문에 마음도 도덕(道德)을 본성으로 갖습니다.

3장. 뉘우치며 사랑하는 아름다움

바로 앞 2장에서 몸과 마음의 진실을 다음과 같이 정리했습니다. 몸은 도덕(道德)으로 존재하기 때문에 마음도 道德으로 존재하며, 따라서 마음이 자신의 道德으로 몸의 道德을 이해하는 것이 행복의 진정한 방법입니다. 이것이 '자기이해'입니다. 마음은 몸으로 존재하기 때문에 자기이해는 마음이 자기의 몸을 이해하는 것입니다. 감정에 대한 이해도 같은 방식입니다. 그런데 이때 마음이 자기의 몸(감정)을 이해할 때, 이 사이에 공간과 시간을 집어넣으면 이것은 엄밀히 말해서 자기이해가 아닙니다. 공간과 시간에 의존한 이해에 불과합니다. 자기이해는 철두철미 마음이 자기의 몸(감정)을 이해하는 것이기 때문에 이 둘 사이에는 공간과 시간이 놓여서는 절대 안 됩니다.

마음이 자기 몸(감정)을 이해하는 구조이기 때문에 이 둘 사이에는 오직 자기 자신만이 존재해야 합니다. 이때 비로소 자기이해가 성립합니다. 이 이해가 몸의 본성과 몸의 순간 변화인 감정의 본성을 영원의 필연성으로 이해하는 것입니다. 그래서 몸 그 자체의 본성 및 이 본성으로부터 필연적인 감정 그 자체의 본성을 이해하는 것이 매우 중요합니다.

[3-25-1『완역 성리대전』]
道義者, 身有之則貴且尊.
도와 의가 자신에게 있으면 귀하고 또 존엄하다.

몸의 진실이 도덕(道德)이며 도의(道義)입니다. 몸의 현상이 몸이 한 행동에 의존해서 몸의 진실을 이해하려고 하면, 절대적으로 이 말을 이해할 수 없습니다. 몸의 진실은 마음이 자기 몸에 대한 자기 이해로 형성되기 때문입니다. 마음이 자기 스스로 자기 몸을 이해하는 것이 아닌, 공간과 시간에 의존함으로써 수동적으로 지각되는 몸과 감정의 감각적 현상으로 몸과 감정을 이해하면, 절대적으로 몸과 감정의 진실이 道德이고 道義라는 사실을 알 수 없습니다. 이와 같이 몸의 진실을 밝히고 나면, 중요한 것은 마음으로 하여금 몸의 진실을 이해하도록 인도하는 것입니다.

이 사실로부터 마음이 자기 몸의 진실 및 자연을 구성하는 모든 몸의 진실을 그 자체의 본성으로 인식할 수 있도록 인도하는 학문이 진정으로 소중하다는 사실을 알 수 있습니다. 인간의 마음은 현실적으로 존재하는 자신의 몸(감정)을 떠나서 자신의 존재 및 자기 몸의 존재를 확인할 수 없습니다. 그러한 한에서 인간의 마음은 몸과 감정 그 자체에 고유한 본성을 이해하는 상태로 존재하지 않습니다. 그러나 몸의 진실이 영원의 필연성으로 道德이며 道義이기 때문에 마음은 자기 몸의 진실에 근거하여 자기 몸의 진실을 이해할 수 있습니다. 학문이 소중한 이유가 여기에 있습니다.

[3-25-2『완역 성리대전』]

人生而蒙, 長無師友則愚. 是道義由師友有之.

사람은 태어날 때에 몽매한데, 장성해서도 스승과 친구가 없으면 어리석다. 이 도와 의는 스승과 친구로 말미암아 가지게 된다.

“사람은 태어날 때에 몽매한데”라는 것은 인간의 마음은 현실적으로 존재하는 자신의 몸 또는 자기 몸의 순간 변화에 근거하여 자신의 존재 및 자기 몸의 존재를 확인하므로, 그러한 한에서 인간의 마음은 생김의 결과 또는 변화의 결과만으로 존재한다는 것을 뜻합니다. 이 경우 마음은 결과에 고유한 원인의 필연성을 명백하게 이해하고 있는 상태가 아닙니다. 그러나 그렇다고 해서 인간의 마음이 결과적 양태만으로 존재하는 것은 아닙니다. 마음은 생각하는 자기 본성에 근거하여 원인과 결과의 필연성을 영원성으로 이해하는 능력을 본래부터 가지고 있습니다. 그리고 이 능력에 기초하여 자기의 몸과 감정에 대해서 이해합니다. 그 결과 본성의 필연성을 인식합니다.

이렇게 몸과 감정의 진실을 이해하는 사람은 자신과 다른 방식으로 존재하는 사람 및 자연의 무한한 몸과 감정들에 대해서 그 자체의 진실을 배움으로써 사랑하게 됩니다.

[3-25-3『완역 성리대전』]

而得貴且尊, 其義不亦重乎? 其聚不亦樂乎?

귀함과 존엄함을 얻으니, 그 뜻이 또한 중요하지 않는가? 그 모임이 또한 즐겁지 않은가?

감정과학을 연마하는 사람은 인간 세상과 자연 세상을 구분하지 않습니다. 인간 세상을 떠나지 않으며, 동시에 자연 세상을 떠나지도 않습니다. 인간 세상과 자연의 세상이 서로 다른 세상이 아닙니다. 몸으로 생겨나서 몸으로 살아가는 것은 인간의 진실이며 동시에 자연을 구성하는 모든 것들의 진실입니다. 그렇기 때문에 우리가 몸의 진실 안에서 몸의 순간 변화인 감정의 진실에 대해서 이해하는 한에서 삶의 행복에서 중요한 것은 인간과 자연의 구분이 아니라 삶의 모든 순간에서 교차하는 몸과 감정에 대한 타당한 인식을 형성하는 것입니다. 이때 비로소 인간은 영원의 필연성 안에서 생명과 사랑으로 존재합니다. 함께 사는 것이 영원의 행복입니다.

우리가 이와 같은 방식으로 행복의 진실을 이해할 때, 우리는 서로의 잘못에 대해서 너그럽게 용서합니다. 잘못을 한 당사자도 행복에 대한 믿음 안에서 자신의 잘못을 뉘우칩니다. 엄격히 말해서 인간의 아름다움은 여기에 있습니다. 삶의 모든 순간에서 잘못을 하지 않거나 그 양을 최소화하는 데에 인간의 아름다움이 있는 것이 아닙니다. 잘못을 범한 중에도 자신의 잘못을 뉘우침으로써 행복의 진실을 깨닫고, 모두가 그 진실 안에서 서로를 향한 믿음으로 관용을 베풀 때, 이 순간이 진정으로 인간의 아름다움을 확인하는 성스러운 순간입니다. 그래서 주돈이는 안연(顏淵)의 행복에 이어서 자로(子路)의 아름다움에 대해서 논의합니다.

[3-26-1『완역 성리대전』]

仲由喜聞過, 令名無窮焉. 今人有過, 不喜人規, 如護疾而忌醫, 寧滅其身而無悟也. 噫!

중유[子路]는 허물을 듣는 것을 기뻐하여 좋은 명성이 끝이 없다. 지금 사람들은 허물이 있어도 남이 바로잡아 주는 것을 기뻐하지 않으니, 마치 병을 키우면서도 치료하기를 꺼려하여 차라리 그 몸을 죽일지라도 깨닫지 못하는 것과 같다. 슬프다!

우리는 얼마든지 잘못 생각함으로써 잘못 이해할 수 있고, 그 결과 잘못을 할 수 있습니다. 그러나 우리는 얼마든지 잘못 안에서 뉘우침으로써 진실을 이해하고 진실대로 살아갈 수 있습니다. 그렇기 때문에 어떻게 살아갈 것인가는 자기 스스로 결정합니다. 잘못을 절대 하지 않겠다고 결심하는 순간 삶은 잘못으로 가득한 비극입니다. 그러나 잘못 속에서도 얼마든지 뉘우칠 수 있다고 생각하는 순간 삶은 성스러움 그 자체입니다. 이 논점으로서 삶은 선택의 순간이 아니라 오직 진실을 향한 인식 안에서 진실대로 살아가는 영원의 필연성입니다.

[3-27-1『완역 성리대전』]
天下勢而已矣. 勢輕重也.
세상은 세勢일 뿐이다. 세에는 가벼움과 무거움이 있다.

세상의 변화는 무한한 방식으로 무한히 이루어집니다. 이 변화에 대한 이해를 크게 가벼움과 무거움으로 볼 수 있습니다. 그러나 정말 중요한 것은 이 모든 변화를 그 자체에 고유한 본성으로 이해하는 것입니다.

[3-27-2『완역 성리대전』]
極重不可反. 識其重而亟反之, 可也.
지극한 무거움은 돌이킬 수 없다. 그 무거움을 알고 빨리 돌이키는 것이 옳다.

여기에서 핵심은 '돌이키는 것'(反)입니다. 변화에 고유한 본성을 이해하는 것이 反입니다. 변화를 현상으로 보면 계속해서 앞을 향해 나아갑니다. 감정도 같은 방식입니다. 몸의 순간 변화는 시간의 흐름을 따라서 무한히 전개됩니다. 그러나 이때 몸의 순간 변화인 감정의 진실을 이해하지 못하면, 몸의 변화에 수동적으로 휩싸이게 됩니다. 가볍게 되었다가 어느 순간 무겁게 됩니다. 변화의 양상이 그러합니다. 그러나 그 모든 변화의 순간에 나아가 고유한 본성의 필연성을 이해하면(反), 모든 변화에서 영원무한의 생명과 사랑을 확인할 수 있게 됩니다. 이 인식이 돌이키는 것을 뜻하는 '反'입니다.

[3-27-3『완역 성리대전』]
反之, 力也. 識不早, 力不易也.
돌이키는 것은 힘이다. 빨리 알아채지 않으면 힘쓰기가 쉽지 않다.

진짜 힘은 의지력이 아니라 참다운 이해를 형성하는 마음의 정신력입니다. 사실상 마음은 본성의 필연성을 향한 인식 안에서 본성의 필연성을 따르는 정신력만 있을 뿐입니다. 이것을 거스르거나 강제하는 의지력 같은 것은 본래 마음 안에 없습니다. 물론 우리는 본성의 필연성을 따르는 마음의 정신력을 의지력이라고 말할 수 있지만, 이 경우 사실상 정신력과 의지력은 동일한 것입니다. 이러한 정신의 진실이 우리 마음에 고유한 본성이며, 이 본성은 당연히 단 하나의 실체로 존재하는 자기원인, 즉 영원무한의 생명과 사랑의 정신에서 유래합니다. 이 진실을 주돈이는 다음과 같이 확인합니다.

[3-27-4『완역 성리대전』]
力而不競, 天也. 不識不力, 人也.

힘이 있으면서도 다투지 않는 것은 하늘이다. 알지 못하고 노력하지 않는 것은 사람이다.

인간 정신에 고유한 정신력은 영원무한의 생명과 사랑으로 존재하는 단 하나의 실체인 순수지선의 정신에 기원하기 때문에 절대적으로 생명과 사랑으로 존재합니다. "힘이 있으면서도 다투지 않는 것은 하늘이다."라고 말한 이유입니다. 그런데 우리 사람은 생김의 결과 또는 변화의 결과로 존재하기 때문에 그러한 한에서 각각의 결과에 고유한 본성의 필연성을 인식하지 않습니다. "알지 못하고 노력하지 않는 것은 사람이다."라고 말한 이유입니다. 그러나 계속해서 강조했듯이, 사람의 정신은 생명과 사랑을 본성으로 갖습니다. 마음이 자기이해를 통해서 자기 몸의 생김과 놀이에 대해서 타당한 인식을 형성하는 것은 지극히 당연합니다.

[3-27-5『완역 성리대전』]
天乎? 人也. 何尤?
하늘인가? 사람이다. 무엇을 탓하는가?

그러므로 자기이해의 정신력이 행복의 방법이며, 이 방법은 정신에 고유한 능력에서 나오기 때문에 행복과 불행에 관한 한 그 원인을 어디에도 둘 수 없습니다. 자기이해를 통해서 자기 본래의 영원한 행복을 누리기 때문에 행복의 진실을 깨닫고 나면 그 어디에도 불행의 원인은 없습니다. 하늘을 탓할 필요도 없고 자신 또는 다른 사람을 탓할 필요도 없습니다. 영원의 필연성을 향한 믿음 안에서 우리가 삶의 모든 변화를 묻고 배우는 한에서 우리는 절대적으로 불행에 놓이지 않습니다. 당연히 이때 물음과 배움은 뉘우침도 포함합니다. 오히려 뉘우침이 배움의 핵심입니다.

4장. 감정과학을 배우는 행복 세상

우리가 감정과학 안에서 잘못을 뉘우치며 사랑으로 살아가면, 우리는 오직 사랑만을 무한히 증대시킵니다. 몸의 순간 변화인 감정으로 살아가는 후험(後驗)의 세상은 사랑을 종합(綜合)합니다. 이것이 후험종합(後驗綜合)의 진실입니다. 가난(貧)을 없애거나 자본(富)를 무한히 축적하는 것은 엄밀히 말해서 後驗綜合의 현상입니다. 그러나 後驗綜合의 진실은 사랑 안에서 사랑만을 무한히 키워가는 것입니다. 감정을 묻고 배움으로써 생명과 사랑의 진실을 밝히며, 그 결과는 항상 뉘우침과 사랑입니다. 이때 비로소 인간의 언어는 인간과 자연의 진실을 담는 성스러운 언어로 드러납니다.

[3-28-1『완역 성리대전』]

文, 所以載道也. 輪轅飾而人弗庸, 徒飾也. 況虛車乎!

글은 도를 싣는 것이다. 바퀴와 끌채가 꾸며졌어도 사람이 사용하지 않으면 헛된 꾸밈일 뿐이다. 하물며 빈 수레이랴!

우리는 위의 인용에서 주돈이의 언어학을 이해할 수 있습니다. "글은 도를 싣는 것이다."라고 말했습니다. 감정의 진실을 이해함으로써 감정의 진실을 이해하는 것이 언어의 진실입니다. 이 언어를 표현하면, 그 순간이 성스러운 예술이 인간 세상에 펼쳐지는 성스러운 순간입니다. 이 지점에서 우리는 언어의 진실로부터 예술의 진실이 밝혀지는 것을 확인할 수 있습니다. 사람과 자연에 대한 바른 말이 분명할 때, 사람과 자연의 아름다움을 표현할 수 있습니다.

[3-28-2『완역 성리대전』]

文辭, 藝也; 道德, 實也. 篤其實而藝者書之, 美則愛, 愛則傳焉. 賢者得以學而至之, 是爲教. 故曰'言之無文, 行之不遠.'

글文과 말은 재주이고, 도와 덕은 실제이다. 그 실제를 돈독히 하면서 재주 있는 자가 그것을 쓰는데[書], 아름다우면 좋아하고 좋아하면 전해진다. 어진 사람이 배워서 이를 수 있으면, 이것이 가르침이 된다. 그러므로 '말에 꾸밈이 없으면 멀리까지 행해지지 않는다.'라고 했다.

"그 실제를 돈독히 하면서 재주 있는 자가 그것을 쓰는데[書], 아름다우면 좋아하고 좋아하면 전해진다."라고 말했습니다. 언어의 진실이 곧 사람과 자연에 대한 진실입니다. 이때 비로소 우리는 언어를 꾸밉니다. 인간과 자연의 진실을 보다 더 큰 완전성으로 아름답게 꾸밀 수 있다는 뜻입니다. 예술의 아름다움은 여기에 있습니다. 흔히들 '인생은 짧고 예술은 길다.'라고 하는데 잘못된 말입니다. 영원무한의 생명과 사랑으로 결정된 인생의 아름다움이 영원성 그 자체로 분명할 때, 예술도 영원성 그 자체의 아름다움을 누릴 수 있습니다. "'말에 꾸밈이 없으면 멀리까지 행해지지 않는다.'"라고 말한 이유입니다.

주돈이의 언어학을 주자도 다음과 같이 확인합니다.

[3-28-4-1『완역 성리대전』]

問 : "古者學爲文否?"

曰 : "人見六經, 便謂聖人亦作文. 不知聖人亦攄發胸中之蘊, 自成文耳.

所謂'有德者必有言也.'"

曰："游夏稱文學何也?"

曰："游夏亦何嘗秉筆爲詞章也? 且如'觀乎天文以察時變, 觀乎人文以化成天下', 此豈詞章之文也?"

물었다. "옛날 사람들은 글을 짓는 것을 배웠습니까?"

대답했다. "사람들은 육경을 보고, 바로 성인도 글을 짓는다고 말했다. 성인이 가슴 속에 쌓인 것을 드러낸 것이 또한 저절로 글이 되었다는 것을 몰랐다. 이른바 '덕이 있는 사람은 반드시 말이 있다는 것이다.'"

물었다. "자유와 자하가 문학이라고 일컬어지는 것은 무엇 때문입니까?"

대답했다. "자유와 자하 또한 어찌 일찍이 붓을 잡고 문학적인 글을 지은 적이 있었겠는가? '천문을 보고서 때의 변화를 살피고, 인문을 보고서 세상을 교화하여 이룬다.'라는 것과 같은데, 이것이 어떻게 문학적인 글이겠는가?"

중요한 부분을 밑줄로 강조했습니다. 언어의 아름다움은 언어를 꾸미는 데에 있지 않습니다. 인간과 자연의 진실인 몸의 순간 변화에 고유한 본성의 필연성을 인식하면, 그 즉시 영원무한의 생명과 사랑이 모든 몸 그리고 몸의 순간 변화인 감정 안에 존재한다는 사실을 이해합니다. 이 이해를 말로 표현하고 더 나아가 그림이나 무용 같은 인간의 행동으로 표현하면 그것이 최고의 아름다운 예술입니다. 어떤 것의 존재를 최고의 아름다움으로 꾸미는 방법은 밖에서 좋은 것을 가져와서 꾸밀 것이 아니라 그 어떤 것이 자기 안에 품고 있는 순수지선을 확인하는 것입니다. 현대의 예술학이나 미학이 간과하고 있는 것입니다.

5장. 감정의 자기이해

감정과학의 진리는 '자기이해'를 통해서 이해할 수 있습니다. 자기 몸의 생김에 고유한 본성의 필연성은 당연히 자기 몸으로 살아가는 자기의 마음이 자기 스스로 이해합니다. 감정도 마찬가지입니다. 지금 자신이 느끼는 자신의 감정입니다. 이 감정이 자기 안에 품고 있는 본성의 영원한 필연성은 당연히 자기의 감정을 느끼고 있는 지금 자신의 마음입니다. 자기 스스로 자기 몸의 생김과 놀이를 이해함으로써 그것이 자기 안에 영원한 진실로 품고 있는 자신의 순수지선을 이해해야 합니다. 이 이해가 '자기이해'입니다. 이렇게 이해를 형성한 사람은 세상 모든 몸과 그 모든 몸의 감정에 대해서도 자기이해와 같은 방식으로 묻고 배움으로써 끝내 순수지선을 이해합니다.

주돈이는 공자의 말을 인용함으로써 '자기이해'의 진실을 다음과 같이 밝힙니다.

> [3-29-2『완역 성리대전』]
>
> 子曰 : "予欲無言." "天何言哉? 四時行焉, 百物生焉."
>
> 공자가 말하였다. "나는 말을 하지 않으려고 한다." "하늘이 무슨 말을 하는가? 4계절이 운행하고 만물이 생겨날 뿐이다."

주돈이에게 '하늘'은 공간의 개념이 아닙니다. 자기 스스로 자기 본성의 필연성을 인식함으로써 자기 스스로 활동하는 성스러운 자유가 '하늘'입니다. "하늘이 무슨 말을 하는가? 4계절이 운행하고 만물이 생겨날 뿐이다."라는 것을 근거로 생각해 보면 분명합니다. 하늘은 오직 자기 본성의 필연성만을 따라서 존재하며 활동합니다. 자기 존재 밖으로 생각을 향함으로써 자기 언어를 외부로 발설하는 것은 하늘이 아닙니다. 하늘은 오직 자기 안에서 자기 스스로 자기 존재에 대한 관념을 형성하며 그 관념 안에서 자기 본성의 필연성을 인식함으로써 오직 이 인식만으로 활동합니다.

이러한 하늘의 진실을 감정과학은 '분석'으로 정의합니다. 분석은 자기 안에서 자기 스스로 자기이해를 형성하는 것입니다. 공자와 주돈이는 이 진실 또는 이 진실을 향한 인식으로 '하늘'을 제시합니다. 그렇기 때문에 공자와 주돈이의 하늘은 감정과학의 분석과 본질적으로 일치합니다. 이점을 우리가 확인하면, 정말 중요한 사실을 확인할 수 있습니다. 위의 인용에서 공자(주돈이)는 "나는 말을 하지 않으려고 한다."라고 말했습니다. 이어서 나오는 것이 하늘이기 때문에 공자와 주돈이에게 '하늘'은 엄밀히 말해서 '자기이해의 분석 안에서 자기이해의 분석으로 살아가는 종합'을 뜻합니다. 이렇게 살아가는 성스러운 사람의 진실이 주돈이에게는 안연(顔淵)입니다.

[3-29-3『완역 성리대전』]

然則聖人之蘊, 微顔子殆不可見. 發聖人之蘊, 教萬世無窮者, 顔子也. 聖同天, 不亦深乎?

그러므로 성인의 함축은 안자가 아니라면 거의 볼 수 없을 것이다. 성인의 함축을 드러내고 영원히 끝까지 가르친 자는 안자이다. 성인은 하늘과 같으니, 또한 심오하지 않은가?

"성인의 함축을 드러내고 영원히 끝까지 가르친 자는 안자이다. 성인은 하늘과 같으니, 또한 심오하지 않은가?"라고 했습니다. 분석 안에서 종합의 진실을 밝히는 것이 감정과학입니다. 이 사실에 근거하면 공자와 안연이 정초한 유교문화는 감정과학이며, 주돈이는 이 사실을 성리학으로 다시 정립하고 있다는 것을 알 수 있습니다.

그러므로 감정의 자기이해가 '하늘'의 자기이해입니다. 자기이해를 통해서 자신의 성스러움을 확인할 수 있습니다. 자신의 성스러움을 아는 사람은 자신의 삶을 성스러움으로 살아갑니다. 그렇기 때문에 행복은 밖에서 구하는 것이 아니라 자기에 대한 올바른 인식을 형성하는 것입니다. 이 인식은 지극히 작은 '나' 자신이 형성하는 것이지만, 그것의 본질은 영원무한의 생명과 사랑 그 자체인 순수지선의 하늘이 형성하는 것입니다. 우리가 이 사실을 자신의 감정에서 확인하는 한에서 우리는 하늘나라를 살아가는 하늘 그 자체의 존재라는 장엄한 진실에 마주하게 됩니다.

6장. 감정을 향한 지적인 사랑

5장에서 근거하여 우리 삶의 참된 행복은 감정에 대한 참다운 인식을 형성하는 데에 있다는 것을 알 수 있습니다. 이 사실을 주돈이도 다음과 같이 확인합니다.

[3-31-1『완역 성리대전』]

君子'乾乾'不息於誠, 然必'懲忿窒慾', '遷善改過'而後至. 「乾」之用其善是. 「損」「益」之大莫是過. 聖人之旨深哉!

군자는 '굳세고 굳세게 하여' 성誠하기를 쉬지 않으나, 반드시 '성냄을 징계하고 욕심을 막으며', '선을 옮기고 허물을 고친' 뒤에 이르게 된다. 「건괘(䷀)」의 쓰임은 이것보다 더 좋은 것이 없다. 「손괘(䷨)」와 「익괘(䷩)」의 큼은 이보다 더 나은 것이 없다. 성인의 뜻이 깊구나!

"반드시 성냄을 징계하고"는 감정의 자기이해입니다. 분노(화)를 느낄 때에는 분노(화)를 느끼지 않으면 안 되는 필연성이 영원성으로 존재합니다. 그렇기 때문에 분노는 억제의 대상이 아니라 자기이해의 진실 안에 존재합니다. 우리가 이러한 방식으로 자신의 분노에 대해서 이해하면, 이 이해는 지금 내가 느끼는 분노의 원인에 대해서도 자기이해와 동일한 방식으로 이해를 형성합니다. 그 결과 "욕심을 막으며"는 지극히 당연한 것입니다. 분노의 자기이해 이전에는 그 원인을 제거하려는 욕망을 느꼈지만, 이후에는 분노의 필연성을 인식함으로써 생명과 사랑을 욕망합니다.

이 욕망의 진실이 "선을 옮기고 허물을 고친"다는 것입니다. 이러한 맥락에서 감정의 자기이해는 감정의 자기사랑이며 감정이 자신을 향한 지적인 사랑입니다. 우리가 이렇게 감정의 진실을 배워서 이해하면, 이미 앞에서 충분히 논한 것과 같이 다 좋은 세상의 순수지선을 누릴 수 있게 됩니다. 주돈이는 다음과 같이 말합니다.

> [3-31-2『완역 성리대전』]
> '吉·凶·悔·吝生乎動.' 噫! 吉一而已, 動可不愼乎?
> '길함·흉함·뉘우침·인색함 등은 움직임에서 나온다.' 슬프다! 길함은 하나일 뿐이니, 움직일 때에 삼가지 않을 수 있는가?

몸의 순간 변화를 살아가는 것이 '움직임'입니다. 여기에서 몸의 순간 변화인 감정에 대한 이해를 그 자체의 본성으로 형성하지 않으면, 뜻밖에 감정이 외부 원인에 의해서 결정된다는 거대한 착각에 빠지게 됩니다. 그 결과 욕망은 감정의 외부 원인으로 지목된 것을 소유하거나 부정하려는 경향을 갖게 됩니다. 그런데 그 결과는 항상 불행입니다. 왜냐하면 무엇보다도 감정의 외부 원인은 사실상 존재하지 않기 때문입니다. 감정은 오직 자기 본성의 필연성 그 자체인 영원무한의 생명과 사랑 안에 존재하며 오직 이 본성에 의해서 생겨납니다. 이 사실에 어두운 것 그 자체가 이미 비극입니다. 더 나아가 행복을 밖에서 구하는 것은 비극의 심화입니다.

주돈이가 위의 인용에서 "움직일 때에 삼가지 않을 수 있는가?"는 감정의 자기이해를 강조한 이유입니다. 그래서 위의 언급에 이어서 다음과 같이 말합니다.

[3-32-1 『완역 성리대전』]

治天下有本, 身之謂也. 治天下有則, 家之謂也.

세상을 다스리는데 근본이 있으니, 몸을 말한다. 세상을 다스리는데 법칙이 있으니, 집안을 말한다.

"세상을 다스리는데 근본이 있으니, 몸을 말한다."라고 말했습니다. 몸의 본성에 고유한 필연성을 인식하면, 몸의 순간 변화인 감정도 당연히 자기 존재에 관하여 본성의 필연성 안에 존재합니다. 우리가 이렇게 몸과 감정의 진실을 이해하면, 영원무한의 생명과 사랑은 몸과 감정 밖에 존재하는 것이 아니라 본래부터 몸과 감정의 진실로 존재합니다. 세상을 다스린다는 것은 세상의 행복과 평화를 실현하는 것입니다. 그런데 감정과학에 의하면 몸으로 생겨나서 몸으로 살아가는 진실이 이미 영원무한의 생명과 사랑입니다. 따라서 몸의 진실을 이해하면 몸으로 생겨나 몸으로 살아가는 세상의 진실을 평화와 행복으로 확인할 수 있습니다.

7장. 부귀빈천 모두가 다 좋은 세상

6장의 결론에 근거하여 아래에 제시된 인용은 경제학의 진실이 무엇인지 밝혀줍니다. 경제학은 자본의 소중함을 배우는 학문입니다. 그런데 자본이 과연 무엇인지 밝히는 학문은 엄밀히 말해서 경제학이 아니라 감정과학입니다. 감정과학은 우리 모두를 행복으로 인도하는 진정한 자본이 무엇이 무엇인지 다음과 같이 밝혀줍니다.

[3-33-1『완역 성리대전』]

君子以道充爲貴, 身安爲富, 故常泰無不足, 而銖視軒冕, 塵視金玉, 其重無加焉爾.

군자는 도를 채우는 것을 귀함으로 여기고, 몸이 편안한 것을 부유함으로 여기므로, 항상 평안하여 부족함이 없어서 수레와 면류관을 하찮게 여기고, 금과 옥을 티끌처럼 여기니, 그보다 더 중요한 것은 없다.

몸에 고유한 생명의 진실이 영원무한의 생명과 사랑입니다. 이 진실이 진정으로 귀한 것이며, 동시에 이 진실이 우리를 경제적으로도 행복한 세상으로 인도합니다. "몸이 편안한 것을 부유함으로 여기므로"라고 말했습니다. 몸이 편안하다는 것은 몸으로 생겨나 몸으로 살아가는 우리의 진실이 영원의 필연성으로 순수지선 안에 존재하고 있다는 사실을 확인할 때입니다. 우리가 이 사실을 믿고 배우면, 우리는 우리와 다른 방식으로 존재하는 사람과 무한히 교차할 수 있습니다. 그 결과는 당연히 경제의 진보를 가져옵니다.

서로에게 좋은 것을 서로에게 나누기 때문에 경제 규모가 자연스럽게 커지게 됩니다. 좋은 것이 무한한 방식으로 무한히 생겨나며, 동시에 좋은 것이 무한한 방식으로 무한히 커지게 됩니다. 왜냐하면 모든 것이 순수지선 안에 존재하고 있다는 사실이 분명할 때 서로를 향한 믿음 안에서 서로를 사랑할 수 있기 때문입니다. 그러나 이 사실을 모르게 되면 결국 순수지선이 아닌 나쁜 것이 존재한다거나 좋은 것이 밖에 있다는 착각에 빠지게 됩니다. 좋을 것을 나의 것으로 만들겠다거나 나쁜 것을 없애겠다는 생각으로부터 '전쟁'을 하지 않을 수 없습니다. 이로부터 서로가 서로를 믿지 못해서 교차하지 못하게 되는 것은 지극히 당연합니다. 경제가 쇠퇴하게 됩니다.

그러므로 감정과학만이 진실로 한 가정과 한 나라 그리고 한 문명 및 지구의 경제를 행복 안에서 번영하고 지속하게 한다는 사실을 영원의 필연성으로 확인할 수 있습니다. 전쟁이 인류의 문명을 발전시켰다는 터무니없는 주장을 거리낌 없이 하는 세상입니다. 그러나 오히려 정반대입니다. 서로를 향한 믿음 안에서 서로를 사랑함으로써 서로 교차한 결과 좋은 것이 무한히 생겨났습니다. 이 덕분에 문명이 발전합니다. 이때 생각을 잘못하면 문명의 발전을 가지고 전쟁을 하게 됩니다. 그렇기 때문에 전쟁이 인류의 문명을 발전시키는 것이 아니라 사랑으로 발전된 문명이 자신의 사랑을 모르게 될 때 뜻밖에 사랑을 가지고 전쟁을 하는 비극을 범하게 됩니다.

8장. 영원한 순수지선 안에서

영원으로부터 영원에 이르는 영원성으로 몸의 생김과 놀이는 순수지선 안에서 순수지선에 의해서 결정되어 있습니다. 이것을 운명론 또는 결정론으로 이해해도 좋습니다. 우리가 이러한 운명론과 결정론으로 우리 자신을 이해하며 배우면, 우리는 절대적으로 자유롭습니다. 왜냐하면 영원의 필연성으로 우리는 생명과 사랑에 의해서 존재하고 활동하도록 결정되었다는 사실이 절대 불변이기 때문입니다. 이때 비로소 우리는 자신과 서로를 향한 믿음 안에서 자유롭게 교차할 수 있습니다. 주돈이도 이 사실을 확인합니다.

[3-35-1『완역 성리대전』]

至誠則動, 動則變, 變則化. 故曰"擬之而後言, 議之而後動, 擬議以成其變化."

지극히 성誠하면 움직이고, 움직이면 변하며, 변하면 화化한다. 그러므로 "견준 후에 말하고, 따진 후에 움직이며, 견주고 따져서 그 변화를 이룬다."라고 말한다.

영원의 순수지선이 성(誠)입니다. 이 진실 안에서 자연의 모든 몸이 생겨나며 변화합니다. "움직이면 변하며, 변하면 화(化)한다."라는 것은 영원의 순수지선 안에서 영원의 순수지선이 무한히 생겨나고 변화하기 때문에 이 사실을 부정하며 존재하는 것은 절대적으로 없다는 사실을 확인합니다. 그러므로 중요한 것은 모든 것의 무한한 생김과 그것의 무한한 변화를 순수지선의 誠에 근거하여 이해하는 것입니다. "견주고 따져서 그 변화를 이룬다."라고 말한 이유입니다.

9장. 감정과학의 신학정치교육학

감정과학 안에서 신학과 정치학 그리고 교육학은 서로 다르지 않습니다. 신학이 정치학이며 교육학입니다. 정치학이 신학이며 교육학입니다. 교육학이 신학이며 정치학입니다. 감정의 자기이해가 신학이며 정치학이고 교육학입니다. 감정의 자기이해는 자기 본성의 필연성으로서 영원무한의 생명과 사랑을 이해합니다. 신학은 신(神)의 본성을 탐구하는 학문이며, 신의 본성은 영원무한의 생명과 사랑입니다. 감정과학이 신학입니다. 감정으로 살아가는 우리 자신의 진실이 영원무한의 생명과 사랑이라면, 정치가 추구하는 세상의 행복은 감정과학에 의해서 세상의 진실로 드러납니다. 감정과학이 정치학입니다. 이 사실로부터 교육의 핵심은 감정과학입니다.

감정과학에 의하면 모든 것은 영원성 그 자체로 자기 본성의 필연성에 의해서 존재하고 활동하도록 결정되어 있습니다. 존재에 고유한 이 사실을 감정과학은 '분석'이라 부르며, 성리학은 '하늘'이라 부릅니다. 그렇기 때문에 감정과학의 본질은 신학입니다. 주돈이는 다음과 같이 이 진실을 밝힙니다.

[3-36-1『완역 성리대전』]

天以春生萬物, 止之以秋. 物之生也旣成矣, 不止則過焉, 故得秋以成. 聖人之法天, 以政養萬民, 肅之以刑. 民之盛也, 欲動情動, 利害相攻, 不止則賊滅無倫焉, 故得刑以治.

하늘은 봄에 만물을 생겨나게 하고, 가을에 그치게 한다. 사물이 생겨나고 이미 이루어져 그치지 않으면 지나치므로 가을에 이룬다. 성인은 하늘을 본받고, 정사로써 만민을 양육하며, 형벌로써 숙연하게 한다. 백성이 풍성해질 경우, 욕망이 움직이고 감정이 움직이며 이로움과 해로움이 서로 공격하여 멈추지 않으면 해치고 멸하여 인륜이 없어지므로 형벌로써 다스린다.

"하늘은 봄에 만물을 생겨나게 하고, 가을에 그치게 한다."는 것은 자연을 구성하는 모든 것이 자기 존재에 관하여 철두철미 본성의 필연성을 따르는 자유 안에 있다는 사실을 확인합니다. 그렇기 때문에 우리가 우리 자신을 비롯해서 자연의 모든 것을 그 각각에 고유한 본성의 필연성으로 인식하는 한에서 자연의 진실은 성스러움 그 자체인 장엄천지입니다. "성인은 하늘을 본받고"라고 말한 이유입니다. 이 사실이 분명할 때 형벌은 세상을 공포로 몰아가는 것이 아니라 세상의 진실인 다 좋은 세상을 보호하는 방법입니다. "형벌로써 숙연하게 한다."라고 말한 이유입니다.

이와 같이 세상의 진실을 몸과 감정에 고유한 본성의 필연성으로 이해할 때, 다 좋은 세상의 진실이 분명합니다. 이로부터 참과 거짓의 분별이 명확하게 드러납니다. 진실은 다 좋은 세상을 향한 믿음 안에서 다 좋은 세상을 배우는 것이며, 거짓은 다 좋은 세상에 대한 불신으로 다 좋은 세상을 배우지 않는 것입니다. 주돈이도 진실과 거짓의 구분을 감정과학과 동일한 방식으로 합니다.

[3-36-2『완역 성리대전』]

情僞微曖, 其變千狀. 苟非中正明達果斷者不能治也. 「訟卦」曰 : "利見大

人, 以剛得中也;" 「噬嗑」曰 : "利用獄, 以動而明也."

참과 거짓의 분별이 애매하고, 그 변화는 갖가지 모습이다. 진실로 중정中正하고 밝음이 통달하며 과감하게 결단하는 자가 아니라면 다스릴 수가 없다. 『역』의 「송괘」에서 "대인을 만나면 이로운 것은 굳셈이 중(九二, 九五爻)을 얻었기 때문이다."라고 말하고, 「서합괘」에서 "감옥을 사용하는 것이 이로운 것은 (굳셈과 부드러움이 나누어져서) 움직여야 밝기 때문이다."라고 말했다.

"진실로 중정中正하고 밝음이 통달하며 과감하게 결단하는 자가 아니라면 다스릴 수가 없다."라고 말했습니다. 중(中)은 몸의 생김과 놀이를 일관하는 진리로서 선험분석의 성(誠) 또는 태극(太極), 리(理)입니다. 정(正)은 선험분석의 성리(性理)로부터 무한히 생겨나는 몸으로서 성기(性氣)입니다. 같은 방식으로 후험분석의 정리(情理)로부터 무한히 생겨나는 감정으로서 정기(情氣)도 正입니다. 性理 안에서 무한한 방식으로 생겨나는 性氣가 正이며, 동일한 논리적 질서를 따라서 情理 안에서 무한한 방식으로 생겨는 情氣도 正입니다. 따라서 '다 좋은 세상'은 性氣와 情氣의 순수지선을 무한한 방식으로 무한하게 배워서 이해함으로써 펼쳐지는 자연의 진실입니다.

앞에서 잠깐 언급한 바와 같이 이 진리를 지키기 위해서 형벌이 존재합니다.

[3-36-3『완역 성리대전』]

嗚呼! 天下之廣, 主刑者民之司命也, 任用可不愼乎?

오호라! 세상은 넓고, 형벌을 주관하는 사람은 백성의 생명을 맡는데, 임용을 삼가지 않을 수 있겠는가?

사람의 진실, 더 나아가 자연 전체의 진실을 영원의 필연성으로 이해하는 성스러운 사람만이 형벌을 주관할 수 있습니다. 왜냐하면 오직 성인(聖人)만이 영원무한의 생명과 사랑 안에서 형벌을 사용할 것이 분명하기 때문입니다.

[3-37-1『완역 성리대전』]

聖人之道, 至公而已矣. 或曰 : 何謂也? 曰 : 天地至公而已矣.

성인의 도는 지극히 공의로울 뿐이다. 어떤 사람이 말했다. "무슨 말입니까?" 대답했다. "천지는 지극히 공의로울 뿐이다."

이 지점에서 우리는 감정과학의 신학이 감정과학의 정치학임을 알 수 있습니다. 이렇게 신학과 정치학이 본래 하나인 감정과학의 진리 안에서 우리가 감정의 진실을 자기이해로 분명하게 형성하면, 우리는 마침내 감정의 진실을 향한 믿음 안에서 감정대로 살 수 있는 자유를 누리게 됩니다.

[3-40-1『완역 성리대전』]

童蒙求我, 我正果行, 如筮焉. 筮, 叩神也. 再三則瀆矣, 瀆則不告也.

몽매한 어린이가 나를 찾아오면 나는 바르게 하고 과감하게 행동하는데 마치 점을 치는 것과 같다. 점을 치는 것은 신에게 묻는 것이다. 두 세 번 하면 어지럽히게 되니, 어지럽히면 알려주지 않는다.

"나는 바르게 하고 과감하게 행동하는데 마치 점을 치는 것과 같다."는 것은 감정의 자기이해에서 유래하는 자기믿음으로 살아간다는 사실을 확인합니다. "점을 치는 것은 신에게 묻는 것이다."라고 말했습니다.

이 말은 자기이해는 최고의 완전성이며 최고의 능동성이기 때문에 사실상 하늘의 자기이해입니다. 이러한 맥락에서 '점'을 이해해야 합니다. 감정의 자기이해를 '점'치는 것으로 표현한 이유는 그 자체가 신의 자기이해와 본질적으로 동일하기 때문입니다. 신은 단 하나의 영원무한이므로 오직 신 자신만이 자신에게 질문하고 답을 구할 수 없습니다. 따라서 감정의 자기이해 안에서 자기 본성에 대한 이해가 분명할 때, 더 이상 의심을 품어서는 안 됩니다. 자기이해의 명백함 속에 감정 자신이 곧 신으로 존재하기 때문입니다.

그러나 자기이해는 무질서한 것도 아닙니다. 아무렇게나 형성되는 것이 아닙니다. 우리가 자기이해의 영원한 법칙 또는 자유를 믿지 못하는 원인이 여기에 있습니다. 자기이해와 자기방종은 완전히 다릅니다. 자기이해는 자기 스스로 자기 감정 및 자신이 경험하는 모든 감정을 그 각각에 고유한 영원의 필연성으로 인식하는 것입니다. 그러한 한에서 자기이해는 매우 엄정합니다. 자기 스스로 필연성에 대한 명백한 이해를 형성하면, 그때 비로소 자기이해를 믿고 살아갈 수 있습니다. 바로 이 대목에서 자기방종 또는 자포자기와는 본질적으로 다릅니다. 이러한 구분을 위해서 주돈이는 감정과학의 교육에서 가장 중요한 것을 다음과 같이 확인합니다.

[3-40-3 『완역 성리대전』]
愼哉! 其惟時中乎!
삼가야 한다! 오직 때에 맞도록 할 것이로다!

자기믿음은 본성의 필연성을 향한 명백한 인식이기 때문에 절대로 자포자기나 자기방종 같은 비극이 발생하지 않습니다. 자기이해의 자명을 확인하는 것이 '신'(愼)입니다. '삼간다.'(愼)는 것은 감정이 자기이해를 명명백백하게 밝히는 것입니다. 그렇기 때문에 삼가는 것과 시중(時中)이 함께 있습니다. 우리는 무한한 방식으로 무한한 감정을 무한하게 느낍니다. 이것이 우리의 시간입니다. 매순간 새로운 감정에 나아가 자기이해의 자명함으로 감정의 순수지선을 이해함으로써 신과 자신이 본래 하나로 존재하고 있다는 사실 안에서 순수지선으로 살아가는 것이 時中입니다. 그러므로 감정과학은 '신학=정치학=교육학'의 등식을 확인하는 성스러운 학문입니다.